5   6   7   8   9

le Duc

Dusseldorf   Cassel   Erfurth

AUTRICHE

Maestricht   Aix la C.
Liège

Namur   Coblentz

Francfort   Prague
Mayence
Nursbourg

Luxemb.   Treves

MEUSE MOSELLE   BAS   Ratisbonne
Metz   RHIN
Bar Nancy   MEURTHE   Lintz
Epinal VOSGES   Stuttgard
Vesoul   H.   Strasbourg   Ulm   Augsbourg
H. SAONE   RHIN   Colmar   Munich Salsbourg
Besançon Bâle   Constance   Insbruck
DOUBS   Zurich
JURA   Berne Coire   PROV. ILLIRIENNES
Lons   HELVETIE
Genève   Fribourg
IN   Sion   Trente   Udine
Chambéry
Ivrée   Milan
ISERE   Verceil   Vérône   Venise
Turin   Alexandrie   Mantoue
ALPES   Parme   Modène   MER ADRIATIQUE
Gap B.   Coni
ALPES   Lucques
Digne Nice   Florence   Ancône   ITALIE
VAR   Livourne
Draguignan   Sienne   Spolette

MÉDITERRANNÉE   Bastia

CORSE   Rome

5   6   7   8   9   10   11   12

Couverture :
Le Mont-Saint-Michel
Pages 6/7 :
Chartres : la cathédrale, au XVIIIe siècle
Page 11 :
Rouen : l'église Saint-Ouen
Page 123 :
Albi : la cathédrale
Dos :
Conques : le Trésor
Tous droits réservés
© MOLIÈRE 2003, Paris
ISBN : 2.84790.133.7
Pour la présente édition :
ISBN : ML 2.7434.5058.4
Edition réservée pour Maxi-Livres
Dépôt légal : 3e trimestre 2003
Imprimé en Italie
par Grafiche ZANINI, à Bologne

Crédit photographique :

Pierre Boussier : 11, 50/51, 88/89.
Hervé Champollion : 1, 12/13, 16/17, 18/19, 45, 47, 49, 53, 62/63, 66/67, 68/69, 70/71, 72/73, 75, 76/77, 78/79, 80/81, 82/83, 92/93, 94/95, 96/97, 98/99, 113, 114/115, 116/117.
Dominique Repérant : 14/15, 22, 23, 24/25, 36/37, 38/39, 40/41, 42/43, 54/55, 56/57, 58/59, 60/61, 64/65, 84/85, 86/87, 90/91, 100/101, 104/105, 108/109, 110/111, 123, 128.
Régine Rosenthal : 106/107, 118/119.
Archives Tallandier : 21, 27, 28, 29, 30, 31, 32/33, 34/35.
Roger-Viollet : 102/103.
D R : 2/3, 6/7, 120/121.
Texte : Jean Gall. Cécile Gall-Bouché.
Collaboration : F.B.S.B.

LA FRANCE
et ses trésors

Jean Gall
Cécile Gall-Bouché

Préface
Michel de Decker

SUCCÈS
DU
LIVRE

Vue perspective de

u celebre Eglise de Chartres.

PRÉFACE

Que l'on aime ou non le général de Gaulle, force est de reconnaître qu'il avait l'art et la manière d'énoncer des vérités premières. Ne lui doit-on pas, en effet, quelques sentences, quelques formules à l'emporte-pièce du genre : "C'est beau, c'est grand, c'est généreux, la France" ou : "Comment est-il possible de rassembler un pays qui compte 365 variétés de fromages ?"

En réalité, sans le savoir, avec ces deux seules réflexions, l'Homme du 18 juin a tout dit de ce merveilleux album consacré au *Patrimoine et trésors de France*.

Si c'est beau ? La question ne se pose même pas. La France de la foi, celle des abbayes, celle des cathédrales romanes ou gothiques en est la preuve.

C'est grand ? La France des seigneurs et des rois, la multitude de chefs-d'œuvre visibles ici ou là dans les plus belles villes de l'Hexagone nous l'affiche sans conteste.

Si c'est généreux ? La France peuplée de trésors à découvrir au bout du zoom est comme une véritable mine de rêves.

D'ailleurs, on n'a pas impunément deux mille ans d'Histoire ! Ça laisse des traces, évidemment ! Ainsi, que l'on aille de Lille à Marseille, de l'Alsace au Finistère ou de la Bourgogne à Bordeaux, on ne parcourt pas dix kilomètres sans voir pointer un clocher, pittoresque ou majestueux ; sans poser le regard sur un château chargé de siècles ou sur une sémillante gentilhommière ; sur un simple calvaire, aussi, sur une maison à pans de bois vénérables, sur une falaise ciselée par le temps ou tout simplement sur un verger fleuri ou un champ de coquelicots qui aurait enthousiasmé Claude Monet.

La diversité géographique – et climatique ! – de l'Hexagone en a fait sa fantastique diversité historique.

Comment rassembler un pays qui compte 365 variétés de fromages, s'interrogeait le général de Gaulle ?

La réponse est dans cet album.

Le grand talent de ses auteurs est, en effet, d'avoir su composer un bel ensemble homogène avec des milliers de vieilles pierres, blanches ou jaunes, grises ou ocres et des dizaines de sites ou de paysages qui s'inscrivent dans le disque dur de la mémoire de la France.

Michel de Decker

SOMMAIRE

DES ORIGINES À L'AN MILLE

La Préhistoire

Le Paléolithique

Au Paléolithique, l'âge de la pierre taillée, l'homme (l'Homo erectus, l'homme debout) laisse ici et là des traces de son passage sur le site de ses habitats provisoires. Chasseur et nomade, il se déplace en suivant ses proies.

Le plus ancien témoignage de sa présence sur le territoire de ce qui deviendra la France remonte à 1,8 million d'années. Il s'agit de cinq outils taillés découverts à Chilhac, dans le Massif central. Mais il faut attendre – 450 000 ans pour qu'il laisse une trace permettant d'avoir une idée de son aspect physique ; c'est, en effet, de cette époque que date le crâne de l'homme de Tautavel, retrouvé au lieu-dit la Caune de l'Arago (Pyrénées-Orientales) et qui constitue le plus ancien reste humain découvert en Europe. L'homme de Tautavel est doté d'un cerveau volumineux (900 à 1 200 cm^3) ; sa taille et son poids sont proches de ceux de l'homme actuel ; son front est fuyant, ses mâchoires robustes et son menton inexistant. Il vit en groupes d'une vingtaine de personnes.

Vers – 400 000 ans, une découverte majeure modifie considérablement la vie de l'homme préhistorique : la découverte du feu. Le foyer de Terra Amata (Nice), vers – 380 000, est le premier exemple français de cette maîtrise du feu et de son utilisation à des fins domestiques. La vie sociale s'organise.

Au fil du temps, l'outillage se perfectionne et se diversifie ; aux bifaces grossièrement taillés viennent s'ajouter des pointes, des racloirs, des grattoirs…

A l'Homo erectus succède vers – 100 000 ans l'Homo sapiens (l'homme sage) neanderthalensis ou Néandertalien : c'est sur le site de Neander, en Allemagne, que l'on a pour la première fois retrouvé sa trace. La grande innovation du Néandertalien est d'enterrer ses morts et, donc, d'avoir des préoccupations métaphysiques. Il apparaît lors de la première moitié de la dernière glaciation (Würm ancien). Face à la rigueur du climat (continental froid), il se réfugie à la mauvaise saison dans des abris sous roche.

La plus ancienne sépulture néandertalienne connue en France a été datée de – 40 000 ans. Il s'agit de la tombe de la Chapelle-aux-Saints (Corrèze).

Pages précédentes
Les bisons de la grotte de Font-de-Gaume

Ces peintures rupestres polychromes admirablement conservées comptent parmi les plus beaux spécimens de l'art pariétal. Elles se trouvent à l'intérieur de la grotte que nous voyons ci-contre, la plus importante avec celle de Combarelles, sur le site des Eyzies. Plus de 200 figures différentes y ont été répertoriées.

Les Eyzies-de-Tayac

Ces grottes constituent l'un des plus anciens habitats humains d'Europe. A ce jour, la Dordogne concentre une part très importante de l'habitat préhistorique découvert en Europe. Mais il faut faire un très grand saut dans le temps pour suivre la vague de constructions suivantes, qui sont parvenues jusqu'à nous : les innombrables châteaux de la région. Celui que nous apercevons se réfère à une époque très ancienne : celle des castrums, petits donjons fortifiés autour desquels s'abritaient quelques familles aussi liées à leur seigneur que celui-ci leur devait protection.

Au Paléolithique supérieur, vers – 35 000 ans, l'homme de Néandertal disparaît d'Europe et cède la place à notre ancêtre direct, l'Homo sapiens sapiens (l'homme deux fois sage), venu, semble-t-il, du Proche-Orient où sa présence est attestée il y a quelque 100 000 ans.

En France, il est plus connu sous le nom d'homme de Cro-Magnon ; Cro-Magnon est un lieu-dit situé sur la commune de Tayac, près des Eyzies (Dordogne), où les restes de cinq individus furent découverts en 1868. Alors que l'homme de Néandertal ne mesurait que 1,55 mètre avec une capacité crânienne de 1 600 cm³, l'homme de Cro-Magnon mesure 1,80 mètre et sa capacité crânienne est de 1 400 cm³. Il connaît les dernières périodes froides de l'époque préhistorique ; pour se protéger, il coud des vêtements dans des peaux de bêtes à l'aide d'aiguilles à chas en os ou en ivoire et de fil constitué par des tendons de renne ou du crin de cheval ; parfois, il les décore de coquillages ou de dents percées. Il fabrique également des outils élaborés : harpons, pointes de javelot, etc. et taille la pierre à l'aide de percuteurs en pierre ou en bois (végétal et animal). Cette technique trouve son apogée vers – 18 000, avec les pointes de sagaies dites "feuilles de laurier" de l'époque solutréenne (qui tient son nom du site de Solutré, en Saône-et-Loire). L'activité principale reste la chasse des grands troupeaux d'herbivores que l'homme suit en élevant sur ses terrains de chasse des cabanes ressemblant à des tentes dressées devant des abris sous roche.

Dès le début du Paléolithique supérieur, l'homme sculpte et grave. L'Homo sapiens sapiens a ainsi réalisé des pendeloques, des plaquettes d'argile, d'os ou d'ivoire

sculptées ou gravées ainsi que des statuettes. Parmi ces dernières, les plantureuses "Vénus" datant du Gravettien (– 27 000 – 19 000), en ivoire, pierre ou os, aux rondeurs pleine de féminité, symbole de fécondité, telle la "Vénus à la corne", bas-relief de la grotte de Laussel (Dordogne) ou l'élégante "dame à la capuche" de Brassempouy (Landes).

Avec le temps, les œuvres se font de plus en plus figuratives, et assez rapidement l'homme invente une nouvelle forme d'art : la peinture. Chasseur avant tout, l'Homo sapiens sapiens représente principalement des animaux : bisons, chevaux, cerfs, mammouths, rennes (peu fréquents bien que largement exploités)…

De magnifiques peintures animalières ornent les grottes de Niaux (Ariège), de Pech-Merle (Lot), de Font-de-Gaume (Dordogne) et, bien sûr, de Lascaux (Dordogne). Les bisons modelés dans l'argile au tuc d'Audoubert (Ariège) sont également exceptionnels.

Les représentations masculines sont plus rares. C'est la figure du "sorcier", mi-homme, mi-animal, doté de ramures de cerf, de queue de bison, de cornes ou de sabots (sorcier de la grotte des Trois-Frères, Ariège ; de Lourdes, Hautes-Pyrénées ; de Gabillou, Dordogne ; de Lascaux, Dordogne). Parfois, il s'agit de la représentation d'un homme blessé, comme celui percé de flèches de la grotte de Pech-Merle (Lot) ou de sagaies (Cougnac, Lot), ou encore celui de Lascaux (Dordogne), mort et renversé par un bison perdant lui-même ses entrailles d'une blessure infligée par une sagaie.

Les mains peintes, dont il est encore aujourd'hui impossible de donner une explication satisfaisante, sont nombreuses.

Les alignements de Carnac

Vu d'avion, le site de Carnac paraît plus gigantesque qu'au sol. Le mystère demeure : qui a apporté ces gigantesques méga-lithes, dolmens et menhirs, dont le volume surprend toujours ? D'où venaient les connaissances des architectes qui ont fait tailler et aligner ces blocs, et celle des prêtres qui officiaient autour d'eux ?

Le Magdalénien, qui s'étend de – 16 000 à – 10 000, marque l'apogée de l'art préhistorique, notamment de la peinture ; mais il se caractérise aussi par un remarquable travail de l'os : sagaies, propulseurs (qui augmentent et affinent le lancer de la sagaie), harpons, poinçons, aiguilles…

Les objets sont finement sculptés de motifs animaliers, comme le propulseur orné de deux têtes de cheval découvert au Mas-d'Azil (Ariège), celui aux deux bouquetins affrontés de la grotte des Trois-Frères (Ariège) ou encore le propulseur avec bison se léchant trouvé à La Madeleine (Dordogne).

L'art pariétal disparaît avec le réchauffement du climat et l'abandon des grottes, dont la protection devient inutile.

Le Néolithique

L'âge de la pierre polie est surtout caractérisé par la sédentarisation de l'homme et l'apparition de l'agriculture et de l'élevage. La chasse, la pêche et la cueillette deviennent alors secondaires. L'homme se regroupe en villages et bâtit d'imposantes maisons destinées à abriter une communauté.

Vers 8 000 av. J.-C., le climat devient plus clément et modifie la faune et la flore. Les steppes laissent la place à des bois de pins et de bouleaux ; les bisons et les rennes disparaissent.

Vers 7 800 av. J.-C., l'agriculture apparaît au Proche-Orient. Elle concerne dans un premier temps les céréales (blé et orge), qui y poussent à l'état spontané, puis les légumineuses (pois, fèves, lentilles) et les fruits (prunes, pommes, poires). Ces cultures gagnent la France

où l'on se met à planter et à récolter également des carottes, des choux, des glands, des noisettes, des noix, des prunelles, des airelles, des framboises et des olives. Peu à peu, l'homme étend ses cultures en défrichant des terrains par le feu ou à l'aide de haches polies.

Egalement issue du Proche-Orient, la domestication des animaux apparaît plus tardivement, avec le chien, la chèvre, le mouton puis le bœuf et le sanglier.

L'homme fabrique des poteries qui lui servent à conserver ses denrées alimentaires et à les cuire. Il broie le grain sur une meule et devient expert dans le travail du bois, de la céramique, du tissage et de la vannerie.

Le début du Néolithique est pacifique mais, à partir de 4000 av. J.-C., une civilisation guerrière s'impose en France ; on lui a donné le nom de chasséenne, en référence au camp de Chassey, près de Chagny (Saône-et-Loire). Les villages prennent position sur des sites défensifs, hauteurs ou éperons, et commencent à s'entourer de fortifications. Des témoignages d'épisodes particulièrement meurtriers ont été fournis par la tombe de La-Chaussée-Triancourt (Somme) où 350 corps ont été ensevelis, parmi lesquels des guerriers avec leur arc et leur carquois, ou celle de l'hypogée (chambres funéraires souterraines) de Roaix (Vaucluse), qui réunit hommes, femmes et enfants, certains portant encore des flèches fichées dans leurs os.

Au même moment, les mégalithes, ces grandes constructions de pierres monumentales, se répandent. Ils apparaissent d'abord sur la façade atlantique, principalement en Bretagne, et gagnent le Bassin parisien, l'Aveyron, le Languedoc, la Provence.

En Corse : Filitosa

Ces menhirs anthropomorphes constituent l'ultime étape de l'art préhistorique. Si on situe les mégalithes de Carnac 3500 ans avant notre ère et ces statues vers le milieu du deuxième millénaire, on ne peut que constater les très différents stades de civilisation du Bassin méditerranéen ; en Phénicie, les navires partaient créer des comptoirs pour vendre leurs marchandises, au sud, en Egypte, les pharaons vivaient l'apogée de leur civilisation, les Crétois venaient de découvrir l'écriture mais les Grecs l'ignoraient encore.

Le dolmen, ou "table de pierre", comporte à l'origine un couloir et une chambre funéraire recouverts d'un tumulus de terre ou de pierre ; plus tard, ce schéma se multiplie pour former des allées couvertes rectangulaires. Les corps y sont accompagnés d'un dépôt d'offrandes : armes, céramiques, parures…

La fonction des menhirs, ou "pierres dressées", est plus énigmatique ; en raison de leur orientation, on pense qu'ils furent élevés pour rendre un culte solaire. Les plus spectaculaires forment des alignements, comme ceux de Carnac (composés de 1 169 menhirs pour celui du Ménec ; 982, pour celui de Kermario ; 579, pour celui de Kerlestan) ou d'Erdeven, également dans le Morbihan, où 1 129 menhirs sont répartis en dix rangées parallèles. On les trouve également en cromlech, ou "cercles de pierre", comme à Er-Lannic, en Bretagne.

La dimension et le poids des menhirs indiquent une maîtrise technique tout à fait remarquable. Le plus grand est celui de Locmariaquer (Morbihan) : il ne pèse pas moins de 350 tonnes pour une hauteur de 20 mètres !

Les âges des métaux

Vers 2000 av. J.-C., le cuivre fait son apparition en France par l'intermédiaire d'hommes venus d'Europe orientale. C'est le chalcolithique, la période "du cuivre et de la pierre".

Vers 1800 av. J.-C., le bronze, alliage de cuivre et d'étain, se répand, sans que l'on sache sous quelle impulsion : commerce, migrations ?…

En 1500 av. J.-C. est attestée une nouvelle migration de peuples venus d'Europe centrale. Ceux-ci s'installent dans l'est de la France et y imposent l'inhumation sous tumulus. Les offrandes funéraires qu'ils pratiquent, constituées de céramiques, d'armes et d'objets de parure en métal, révèlent une certaine aisance, sans doute procurée par l'agriculture et l'élevage.

En 1200 av. J.-C., en rapport avec les mouvements de populations qui ont lieu dans les Balkans, une nouvelle vague migratoire répand la civilisation des champs d'urnes dans l'est de la France, le Massif central, la Bourgogne et même l'Aquitaine. Ces peuples pratiquent l'incinération et déposent les cendres de leurs défunts dans des urnes.

Les premiers objets en fer découverts en France remontent au VIIIe siècle av. J.-C. Il s'agit de longues épées caractéristiques de la civilisation de Hallstatt, déposées dans des tombes situées principalement dans l'est de la France. Hallstatt est le nom d'une petite commune d'Autriche, près de Salzbourg, où des mines de sel sont exploitées depuis la préhistoire ; on y a découvert une nécropole datant du début de l'âge du fer, période appelée depuis civilisation de Hallstatt.

Un aspect typique de la civilisation de Hallstatt est la présence de tombes princières, appartenant à une aristocratie guerrière. Ces riches tombes abritent des parures, des armes, des chars de parade à quatre roues avec harnachement et mors des chevaux. Des céramiques et des objets en bronze importés d'Étrurie et de Grande-Grèce révèlent des liens commerciaux importants avec ces contrées.

Ces liens iront croissant avec la création de la colonie grecque de Marseille, vers 600 av. J.-C. Le dynamisme de cette dernière modifie la culture hallstattienne non seulement par la recrudescence des objets importés mais aussi par l'influence que la culture méditerranéenne imprime à l'architecture et aux arts indigènes.

A partir du Ve siècle av. J.-C., une crise s'installe : les tombes princières se raréfient, l'activité de Marseille régresse, des habitats sont abandonnés. Cela s'explique en partie par l'invasion de peuples appelés Celtes par les Anciens, marquant le début du second âge du fer ou époque de La Tène. (Comme toujours ce nom répète celui du premier site mis au jour caractéristique de cette période. La Tène est situé en Suisse, près de Neuchâtel ; les fouilles entreprises en 1874 ont révélé un poste militaire fondé au Ve siècle).

Sous la poussée d'autres peuples, probablement des Germains, les Celtes migrent d'Europe centrale et arrivent en France par vagues au début du Ve siècle av. J.-C., aux IIIe et IIe siècles av. J.-C. Leur expansion atteint les îles britanniques et l'Italie.

Ce sont des peuples guerriers et conquérants. Ils enterrent leurs morts dans de simples fosses creusées dans la terre et accompagnent le défunt de son équipement de combat : épée en fer à double tranchant, casque, bouclier, poignard, plus rarement et seulement pour les chefs, char de combat à deux roues. Ils vivent dans des *oppida* (citadelles fortifiées) et pratiquent avec une grande maîtrise l'agriculture, l'élevage et l'artisanat. Dès la fin du IVe siècle av. J.-C., le commerce reprend vigueur sous leur impulsion.

Dieu au sanglier d'Euffigneix

Cette statuette en calcaire, haute de 26 centimètres, a été découverte à Euffigneix en Haute-Marne. Elle date du Ier siècle avant ou du Ier siècle ap. J.-C. Il ne fait aucun doute qu'il s'agit d'un dieu : il porte le torque (collier de fer fermé par deux boules), emblème divin ; il tient dans ses bras (pour un sacrifice ?) un sanglier, animal classique du bestiaire sacré gaulois, lié au mythe du Nouveau Monde ; les yeux globuleux sont une marque de sa divinité ; en outre, deux grands yeux (doués d'un pouvoir de protection ou de voyance) sont sculptés sur les côtés de la statue. Sur le plan stylistique, cette statue-pilier présente des analogies avec la sculpture sur bois et avec les statues-menhirs des siècles antérieurs : rectitude des lignes, relief peu accusé, cheveux tirés en arrière et traités en plis saillants.

L'époque gallo-romaine

Entre 125 et 118 av. J.-C., Rome conquiert le sud-est de la Gaule, la "Gaule transalpine" et en fait l'une de ses provinces. Puis, en 58 av. J.-C., Jules César entreprend la fameuse guerre des Gaules. Celle-ci s'achève en 52 av. J.-C. par la défaite de Vercingétorix à Alésia.

La romanisation commence.

Jules César, puis Auguste mettent en œuvre une profonde réorganisation administrative ; le pays est découpé en quatre provinces, elles-mêmes subdivisées en *civitates* correspondant aux territoires des peuples gaulois au temps de l'indépendance.

En 27 av. J.-C., la Gaule transalpine prend le nom de Narbonnaise, dans le même temps Lugdunum (Lyon) devient la capitale des Trois Gaules (l'Aquitaine, la Lyonnaise et la Belgique) et reçoit les assemblées annuelles des représentants de toutes les cités gauloises, habile persistance d'une pratique qui existait avant la conquête romaine. Carrefour de toute première importance, Lyon est en outre la capitale du culte officiel rendu à Rome et à Auguste, culte impérial qui est rapidement mis en place dans les autres cités gallo-romaines, notamment à la "Maison Carrée" de Nîmes.

L'action d'Auguste pour accélérer la romanisation est immense. Outre des mesures administratives et fiscales, la fondation de nombreuses colonies, on lui doit d'importants financements : remparts des cités de Vienne et de Nîmes, théâtres d'Arles, d'Orange et de Vienne…

En fait, Rome imprime sa marque en douceur : les Gaulois adoptent sa façon de vivre sans contrainte, voire avec un certain plaisir. La rustique maison gauloise en bois, terre et chaume, qui abritait sous un même toit hommes et animaux domestiques, laisse la place à des bâtiments à plusieurs pièces, grâce aux techniques de construction romaines (mortier, tuiles). Les citoyens les plus aisés s'offrent de luxueuses demeures à la mode italienne, dotées de portiques, bassins, mosaïques, fresques…

Sur le plan vestimentaire, les Gaulois abandonnent leurs braies pour enfiler la tunique et le manteau qu'ils agrafent avec des fibules, sortes d'épingles à nourrice souvent finement décorées.

Dans les campagnes, les *villae* se multiplient. Les *villae* ? Il s'agit de grandes exploitations agricoles, le plus souvent constituées d'un long bâtiment rectangulaire, résidence du maître, ouverte sur un jardin d'agrément,

Nîmes

Cet amphithéâtre est l'un des mieux conservés du monde romain. Construit au Iᵉʳ siècle ap. J.-C., il pouvait accueillir 24 000 spectateurs. Il abritait courses de chars et spectacles au cours desquels les chrétiens étaient donnés en pâture aux fauves, à la grande satisfaction de l'assistance.

Le pont du Gard

Cet ancien aqueduc long de 275 mètres, haut de 49, construit sur ordre de l'empereur Agrippa, illustre vingt siècles plus tard les talents d'architectes des Romains, que l'histoire stigmatise souvent parce qu'ils étaient des conquérants, mais dont d'innombrables temples et bâtiments civils sont encore debout.

et d'une vaste cour bordée des bâtiments agricoles, des dépendances et des ateliers (forge, menuiserie…).

L'agriculture occupe la majeure partie de la population. Les terres fertiles de Gaule sont plantées de céréales (blé, avoine, seigle), de vignes, dont la production se développe considérablement, d'oliviers. L'élevage fournit des produits, en particulier des fromages et des charcuteries, réputés jusqu'à Rome.

L'exploitation méthodique du sol modifie profondément l'aspect du paysage rural en Gaule. Parallèlement, un réseau routier dense est mis en place et les villes connaissent une urbanisation sans précédent. Leur cœur est le forum, centre de la vie publique qui regroupe les bâtiments liés aux activités politiques, religieuses, économiques et administratives de la cité (temples officiels, basilique, curie).

Les villes accueillent aussi des édifices de loisirs importés de Rome. D'abord des thermes, où l'on se baigne dans une eau froide puis chaude avant d'aller se faire suer (au sens propre) dans le sauna, se faire masser et se faire épiler par un personnel spécialisé, thermes où l'on vient lire et causer entre amis. On construit aussi des théâtres, au moins soixante en Gaule, où se donnent des spectacles de danse, de musique, de mime ; des amphithéâtres, au moins cinquante, où se déroulent des combats de gladiateurs et des chasses, et enfin, moins fréquents, des cirques, où ont lieu des courses de chars. La capacité de ces édifices montre qu'ils étaient fréquentés non seulement par la population urbaine mais aussi par tous les habitants de la campagne environnante (théâtre d'Autun : 38 000 places, amphithéâtre d'Arles : 28 000 places, amphithéâtre de Nîmes : 24 000 places).

Excellents artisans, les Gaulois se perfectionnent grâce à des techniques importées d'Italie, notamment en ce qui concerne la céramique (site de la Graufesenque) et la verrerie (introduction du verre soufflé).

Sur le plan religieux, les divinités romaines font leur apparition sans pour autant détrôner les dieux celtes ; ceux-ci étaient liés à un culte de la nature, végétal ou animal ; ils perdurent ou sont assimilés : des sanctuaires gallo-romains sont édifiés sur des lieux déjà sacrés au temps de l'indépendance gauloise. Claude, empereur à Rome de 41 à 54, supprime les druides, mais davantage à cause de leur influence politique que pour des motifs religieux : les dieux gaulois garderont des fidèles bien après la (lente) diffusion du christianisme, dont les premiers témoignages remontent en Gaule au IIe siècle (martyrs de Lyon en 177).

A partir du Ier siècle ap. J.-C. Lutèce se développe, notamment grâce au commerce fluvial. Son forum occupait le sommet de la montagne Sainte-Geneviève. Trois thermes des Ier et IIe siècles ont été identifiés : les premiers à l'emplacement de l'actuel Collège de France ; les deuxièmes, plus modestes, au niveau de la rue Gay-Lussac et de la rue Le Goff ; les thermes de Cluny, enfin, les plus importants, comprenaient des vestiaires, une palestre (c'est-à-dire un gymnase), des latrines, des pièces chaudes (sauna) et tièdes organisées autour d'une grande salle froide centrale qui reste le vestige le plus extraordinaire de l'édifice.

Les fouilles ont également révélé l'existence de deux bâtiments romains typiques : un théâtre, situé à une centaine de mètres des thermes de Cluny (sous l'actuel lycée Saint-Louis), l'autre, plus vaste, connu sous le nom d'arènes de Lutèce est un semi-amphithéâtre dont seule une petite partie, moins de la moitié, est sauvegardée (square des Arènes, au croisement des rues de Navarre, des Arènes et des Boulangers).

Les invasions barbares

A partir du IIIe siècle, la Gaule est en proie à une grave crise politique et économique et subit les violentes incursions de peuples barbares, principalement les Alamans et les Francs.

La situation s'améliore sous Dioclétien (proclamé empereur en 284) et Constantin, à la faveur d'une politique de fermeté et un renouveau de l'idéologie religieuse (large diffusion du christianisme et organisation de son Eglise).

Les raids barbares reprennent au IVe siècle (Alamans et Francs en 350) ; en 406, les frontières de la Gaule cèdent sous la violente et massive attaque des Vandales, des Alains et des Suèves, eux-mêmes chassés d'Europe orientale par la poussée des Huns.

Malgré son alliance avec Rome, Attila lui-même franchit le Rhin en 451, détruit Poitiers et assiège Orléans. Cette dernière résiste grâce à l'aide que les Wisigoths apportent aux Romains.

Deux ans plus tard, Attila est assassiné sur ordre de l'empereur Valentinien III qui lui-même périt sous les coups vengeurs des Huns. C'est la fin de la Gaule romaine, que se partagent Burgondes (Bourgogne), Wisigoths (Aquitaine et Toulousain), Alamans (Alsace), Francs (au Nord)…

Un Mérovingien

La fixité du regard, l'ovale des yeux et le nez droit évoquent plus l'art byzantin que romain.

Manuscrit mérovingien

Pour connaître la civilisation des Mérovingiens, nous ne disposons pas seulement des témoignages – très partiels – de l'architecture, mais aussi de manuscrits, parmi lesquels celui-ci, remarquablement conservé, qui illustre assez fidèlement l'atmosphère de la vie quotidienne du Vᵉ au VIIIᵉ siècle, c'est-à-dire du père de Clovis, Mérovée, au père de Charlemagne, Pépin le Bref.

Le royaume des Francs

Les historiens datent du renversement du dernier empereur de Ravenne, Romulus Augustule, en 476, la fin de l'antiquité. Son "tombeur" comme on dit aujourd'hui, le général germain Odoacre, préfère régner effectivement sur une petit bout de l'Italie que fictivement sur un empire délité : il renvoie à Constantinople les insignes impériaux ; l'empire romain d'Occident n'est plus.

Dans l'ancienne Gaule, un événement majeur a lieu six ans plus tard : à Tournai, capitale du plus nordique des quatre royaumes qui se partagent le territoire, celui des Francs, un jeune roi monte sur le trône. Il a 15 ans, il descend d'une lignée plus ou moins mythique, les Mérovée, il s'appelle Clovis. Il va mener à bien une politique de conquête et de réunification de la Gaule facilitée par sa conversion au christianisme (victoires de Tolbiac sur les Alamans, de Vouillé sur les Wisigoths).

A sa mort, en 511, Clovis contrôle les trois quarts de la Gaule, il a éliminé les autres rois francs, installé sa capitale à Paris, son royaume est la première puissance d'Occident. Il inaugure la dynastie des Mérovingiens qui règnera jusqu'en 751, étendra le royaume à la Gaule entière et à l'Allemagne du sud, mais qui sera rongé par une règle suicidaire : à la mort du roi, le royaume est partagé entre ses fils.

On imagine les déchirements, les conflits qu'une telle pratique générait. Une famille allait en profiter : celle du Maire du Palais ; sa charge théoriquement est d'entretenir la cour, son rôle réel ne cesse de grandir avec le temps. Après la mort de l'énergique roi Dagobert Iᵉʳ, il devient le véritable détenteur du pouvoir. On connaît les noms : Pépin d'Héristal, puis son fils Charles Martel, le vainqueur des Arabes à Poitiers en 732, puis le fils de

celui-ci, Pépin le Bref. En 751, ce dernier réconcilie la réalité et la fiction : il se fait élire roi, inaugure le sacre à l'huile sainte et supprime la fonction de Maire du Palais ! La dynastie des Mérovingiens est finie, celle des Carolingiens commence. Elle connaîtra son apogée avec le couronnement de Charlemagne, fils de Pépin le Bref, le jour de Noël de l'an 800.

L'Empire de Charlemagne s'étend de Barcelone à Hambourg, de Rennes à Vienne et, en Italie, jusqu'au sud de Rome. Il présente la particularité de n'avoir pas de capitale fixe ; le pouvoir est exercé par les comtes, responsables administratifs et militaires, placés directement sous l'autorité de l'empereur ; les évêques nommés par l'Empereur participent à l'action centralisatrice ; les missi, envoyés spéciaux de l'Empereur, portent ses ordres dans tous les coins du territoire.

Ne parlons pas des guerres que Charlemagne ne cesse de mener, que ce soit pour défendre ou pour agrandir ses terres. Le plus important reste son œuvre culturelle. Il encourage l'instruction à tous les niveaux : aussi bien celle des serviteurs de l'Etat que celle des écoliers et celle des clercs : plus de 8 000 manuscrits de cette époque ont été conservés, recopiés dans les ateliers de copistes qu'il a fait établir dans les monastères. Il favorise la construction de monastères, de cathédrales, de palais. Le grand renouveau artistique que l'on a appelé "la renaissance carolingienne" ne s'est pas produit par hasard : il l'a voulu et inspiré.

La renaissance culturelle

Sur le plan artistique, la période mérovingienne a bien peu apporté, essentiellement des travaux d'orfèvrerie, magnifiques il est vrai : bijoux et reliquaires de style cloisonné (les pierres précieuses taillées sont insérées entre des cloisons de métal). La période carolingienne perfectionne encore cet art des orfèvres, mais surtout invente un style qui préfigure le roman et crée les premiers signes d'un art français, ou, pour être plus exact, européen (Aix-la-Chapelle en est l'épicentre…)

C'est dans l'architecture religieuse qu'elle se manifeste en premier. Imagine-t-on qu'en moins d'un siècle, de 768 à 855, pas moins de 550 édifices importants ont été construits sur le territoire de l'Empire, dont 27 cathédrales, 417 monastères, 100 résidences. En quoi les architectes de Charlemagne se différencient-ils de leurs prédécesseurs ? A la dispersion des sanctuaires autour de l'église cathédrale ou abbatiale telle que ceux-ci la perpétuaient, ils substituent un effort d'intégration ; la rotonde devient tour ; elle est jointe à la basilique, formant avec elle un ensemble cohérent. On pense bien sûr à la fameuse chapelle octogonale d'Aix-la-Chapelle, mais aussi aux nombreuses constructions qu'elle a influencées, par exemple à l'abbatiale d'Ottmarsheim, en Alsace : on y retrouve l'octogone central, surmonté d'une coupole, entouré d'un déambulatoire, le dessin en croix latine. On y trouve aussi, mais c'est une autre forme d'art, de merveilleuses mosaïques…

La chapelle carolingienne est intégrée au palais dont l'innovation est d'organiser dans un espace commun et de relier entre eux par des galeries les bâtiments

L'attaque d'un château-fort

Ce manuscrit est nettement postérieur à Charlemagne, mais il reste très ancien et tout à fait évocateur de l'art de l'enluminure, né dans les monastères du Haut Moyen Age et qui produira ses derniers spécimens à la Renaissance. Les moines recopiaient et illustraient minutieusement les textes, profanes (textes grecs et latins) ou religieux.

Pages suivantes

Départ de saint Louis pour la croisade

Saint Louis a conduit les deux dernières croisades, la septième (1248-1254) menée contre l'Egypte et achevée dans le désastre, et la huitième (1270), entreprise malgré l'incompréhension de son entourage (peut-être pour convertir le sultan de Tunis) et au cours de laquelle il devait mourir de la fièvre à Tunis.

selon leur fonction : religieuse ici, là d'habitation, plus loin de représentation : l'empereur reçoit dans une vaste pièce nommée aula. Malheureusement les vestiges de ces palais carolingiens ne subsistent que dans la partie germanique de l'empire.

Ce renouveau architectural s'accompagne d'un essor de toutes les autres formes d'art. On vient de citer les mosaïques d'Ottmarsheim ; il faut évoquer aussi la

ef citeinf.
¬ lef ancienf
¬ p la diutoire.
tor du capitoire.
ſi vorent
ſv glorouſent
de tor le mõde.

¬ mlt bone ¬ mlt ardauble.
¬ e q̃ le translate auſinut.
L e referai mlt henut.
I e ſai ce. q̃ plꝰ fort a faire.
S oit ce q̃ def autourf a traire.
Y e du recont̃ p parole.
A inſi q lon qre vne fole.

sculpture sur ivoire : sur des plaques de quelques centimètres carrés, les artistes de Metz, Soissons ou Saint-
Denis gravent avec une incroyable minutie des décors
floraux, animaux et même humains, ce qui est non
seulement nouveau mais audacieux ! Il faut évoquer
enfin les enluminures, qui développent sur des parchemins pourprés des onciales d'or et des couleurs d'une
rare richesse.

Charlemagne meurt en 814. L'empire ne va pas
tarder à se disloquer, victime des partages successifs,
des dissensions internes, des invasions extérieures.
Le IXᵉ siècle laissera le souvenir d'un siècle *horribilis*.

La dynastie s'éteindra faute de descendants
en 987. Celle des Capétiens-Valois (= de Hugues, sur-
nommé Capet car il portait une petite cape), s'emparera
du trône ; elle y restera trois cent trente ans.

LA FRANCE DE LA FOI
L'art roman

La période romane s'est ouverte avec le deuxième millénaire (et non comme le voulaient certains auteurs du XIXe siècle dès l'an 500). Le premier des rois capétiens, Hugues, est monté sur le trône de France en 987. Son fils Robert II le Pieux, associé au trône depuis toujours, lui succède en 996. La dynastie s'efforcera de consolider puis d'agrandir le royaume. Les siècles précédents avaient été marqués par les grandes invasions : tour à tour, les Wisigoths, les Francs, les Hongrois, les musulmans, les Normands avaient envahi le pays, ravagé ses campagnes, détruit ses églises.

Le calme, sinon la paix, revenu au milieu du Xe siècle, il faut reconstruire. L'argent manque. Pas le dynamisme. La natalité repart. La population s'accroît. En veut-on des signes ? En 1066, des Français émigrent vers l'Angleterre dans les bagages de Guillaume le Conquérant ; à partir de l'an mille, ils participent à la reconquête et à la remise en valeur de l'Espagne ; de 1096 à 1192, ils se transportent en Orient sous la bannière des Croisés.

Selon les auteurs, la population de l'Europe occidentale passe de 14,7 millions vers l'an 600 à 22,6 millions en 900 et 54,4 en 1348 (veille de la grande peste) ou de 27 millions vers 700 à 42 en l'an mille et 73 millions en 1300. Dans tous les cas, triplement en un demi-millénaire. L'économie redémarre. Economie rurale : on sème, on plante… Les surfaces cultivées augmentent, les forêts reculent. Economie urbaine : on bâtit et l'on rebâtit. Des maisons, des églises, des monastères, des châteaux. Le marché des pierres et des bois de construction explose. On achète ; on vend. Les routes sont sillonnées de marchands et de marchandises. Les villes connaissent

un essor sans précédent dont le moteur n'est plus, comme aux siècles passés, l'administration ou le clergé, mais bien les nouvelles classes sociales en plein essor : artisans, commerçants, bourgeois. L'économie impose un desserrement du carcan féodal : il faut accorder franchises, garanties, libertés. La France n'a pas seulement changé de millénaire, pas seulement inauguré une dynastie : elle est entrée dans une phase nouvelle.

Chaque ville, chaque village érige de nouveaux lieux de culte. Pourquoi des lieux de culte ? Parce que le Moyen Age est un âge essentiellement religieux. Le style "roman", né à partir de l'an mille, est directement issu

Abbaye de Fontenay : le cloître

Cette très ancienne abbaye doit son nom aux nombreuses fontaines qui entourent le site. C'est l'occasion d'évoquer le parallèle des constructions religieuses de l'époque en Europe du Sud : l'art espagnol mozarabe privilégie les fontaines et les arcs portés par de petites colonnes, l'art roman est inconcevable sans des arcs et des colonnes similaires ; une fontaine occupe très souvent le milieu du cloître.

Moissac : le cloître

Cette abbaye connut son apothéose au XIe siècle, après des périodes assez noires : les invasions des Arabes, des Normands et, même, des Hongrois l'avaient épuisée et elle serait peut-être restée dans ses décombres si le hasard n'avait fait s'arrêter là l'abbé de Cluny, le futur saint

des besoins de cette foi partagée. On ne s'étonnera pas qu'il porte essentiellement sur l'architecture religieuse et l'art religieux.

Ce style roman porte d'abord la marque d'un renouveau. Soyons exact : le renouveau religieux ne date pas de l'an mille, mais de bien avant. Sous le règne de Charlemagne (768-814) et de ses deux premiers successeurs, le territoire s'est enrichi de 27 cathédrales nouvelles et de plus de 430 monastères. Une création tous les deux mois, malgré la précarité économique, malgré les guerres, malgré les invasions normandes. Ce n'est qu'un signe.

En 1073 est couronné pape celui qui fut un des plus grands pontifes de l'histoire du catholicisme, donc un des plus controversés, Grégoire VII. En douze ans de pouvoir, il va révolutionner l'Eglise, affirmer son indépendance et l'autorité de son chef face au pouvoir civil, imposer la moralisation du clergé, inciter les populations à assister aux offices divins, inspirer un mouvement de fond. C'est dans ce contexte que naît l'art roman. Un auteur contemporain, le moine bourguignon Raoul Glaber écrit : "Comme approchait la troisième année qui suivit l'an mille, on vit dans presque toute la terre, mais surtout en Italie et en Gaule, réédifier les bâtiments des

églises; bien que la plupart, fort bien construites, n'en eussent nul besoin, une véritable émulation poussait chaque communauté chrétienne à avoir une église plus somptueuse que celle des voisins. On eût dit que le monde lui-même se secouait pour dépouiller sa vétusté et revêtait de toutes parts un blanc manteau d'églises. Alors, presque toutes les églises des sièges épiscopaux, celles des monastères consacrés à toutes sortes de saints, et même les petites chapelles des villages furent reconstruites plus belles par les fidèles." On ne se contente pas de créer de nouveaux édifices, on rebâtit ceux qui subsistent. On les agrandit. On les étire en longueur. On ajoute des nefs,

des transepts immenses. On les embellit. On cherche à faire plus grand, plus beau, plus moderne. On découvre les tendances architecturales et stylistiques qui ont vu le jour en Italie et dans le sud de la France, et on les imite.

Comprenons bien : pour nous, aujourd'hui, le style roman ce sont les fenêtres arrondies, les voûtes "en berceau" (comme un berceau retourné, posé sur les murs de côté), les coupoles, les clochers massifs, le style dépouillé. Mais, à l'époque, que l'on n'a d'ailleurs appelée "romane" qu'à partir du XIXe siècle, il ne s'agissait pas d'appliquer un nouveau canon stylistique mais bien d'apporter une réponse à des problèmes concrets.

Odilon. Il décida de jumeler les deux abbayes et Moissac devint un centre de rayonnement très actif. Ce cloître, achevé en 1100, comporte 76 chapiteaux (chapiteaux simples et chapiteaux doubles alternés), et 8 piliers ornés de plaques sculptées ou gravées : un ensemble artistique unique.

Comment, par exemple, remplacer le toit de bois, fragile et qui comportait le danger d'incendie, par un toit de pierre ? En imaginant la voûte. L'architecture romane est une architecture de la voûte. Voûte en cul-de-four, la plus simple, voûtes d'arêtes, voûtes sophistiquées. Comment alors faire reposer ces voûtes, beaucoup plus lourdes que les anciens toits en bois, sans écraser et faire s'écrouler les murs ? En faisant reposer chaque retombée de voûte sur un pilier particulier, c'est-à-dire en rythmant le mur par des colonnes, simples pilastres plats ou demi-colonnes engagées dans le mur, en supprimant les fenêtres, en flanquant ces murs de bas-côtés surmontés de tribunes, en édifiant de solides contreforts. De là cet aspect parfois un peu massif des bâtiments romans, ces nefs peu éclairées, et, ceci conséquence sans doute de cela, la sobriété de la décoration.

Arrêtons-nous un peu sur cette décoration. Deux éléments y contribuent dans l'architecture romane : ce que l'on a appelé la "bande lombarde" et les chapiteaux.

La "bande lombarde" ? Il s'agit d'un décor mural, importé comme son nom l'indique de Lombardie, constitué de festons de petites arcades segmentés en panneaux plus ou moins larges par d'étroits pilastres appelés de leur nom italien "lesènes". Plus simplement, une ouverture large divisée verticalement en deux, trois ou quatre segments surmontés chacun d'une arcade. Conséquence : vu de l'extérieur, une sorte de respiration dans l'austérité des surfaces murales ; à l'intérieur, un jeu discret de lumière évoluant avec la course du soleil.

Quant aux chapiteaux, ils ne sont pas seulement une particularité stylistique, mais une des grandes richesses de l'art roman. Les artistes romans, en effet, ont réinventé une sculpture monumentale florissante, bouillonnante, novatrice. Mais là encore, ce fut sans chercher à imposer un style, sans vouloir faire école, d'autant moins que les premiers créateurs de ces chapiteaux qui font notre admiration aujourd'hui n'étaient personne d'autre que les tailleurs de pierre qui avaient préparé les colonnes, les ouvriers de ces églises. Ils gravèrent des motifs floraux (fleurons) et végétaux (palmettes, stylisation du palmier), des animaux puis des hommes. Et cela est une véritable révolution dans la mentalité collective moyenâgeuse. Des hommes sur des sculptures ? C'était faire fi de la malédiction attachée depuis des siècles à ce genre de représentation ! Et cette rupture avec le passé allait ouvrir la voie à tout un développement de la sculpture historiée et aux chapiteaux figuratifs de Vézelay, de Cluny, des grandes églises romanes d'Auvergne.

Royaumont

Cette abbaye royale, aujourd'hui classée au patrimoine mondial de l'humanité, fut construite par saint Louis à partir de 1228, pour respecter un vœu de son père.

Aux X⁰ et XI⁰ siècles, le public religieux n'est pas seulement de plus en plus nombreux, il s'avère également très différent. Ses rites ont évolué. Pour nous en tenir à quatre exemples, l'eucharistie, le culte des saints, la vénération des reliques, la généralisation des pèlerinages déterminent un nouveau style d'architecture religieuse.

L'eucharistie, dans les églises primitives, était un sacrement auquel on participait dans la communion des fidèles ; le courant de renouveau spirituel, initié vers le VIII⁰ siècle, lui fait perdre peu à peu son caractère de rite social pour devenir davantage une expérience de la vie intérieure. Plutôt que de se mêler à une manifestation collective, on se retire pour partager le sacrifice du Christ. Les messes privées sont fréquentes. La réprobation frappe une gestuelle trop pompeuse d'exposition des hosties. Dans les églises romanes, les autels secondaires, qui avaient fait leur apparition à l'époque paléochrétienne, se multiplient à côté du maître-autel.

Le culte des saints : l'église primitive ne tenait pour saints que la vierge Marie, les apôtres, et Jean-Baptiste. Mais, très vite, elle leur avait associé les martyrs de la foi (la sainteté par la charité est une notion beaucoup plus tardive).

Au IV⁰ siècle, le pape Damase fit chercher dans les catacombes les tombeaux des martyrs oubliés : c'était encourager la prolifération des saints ; bientôt chaque paroisse consacre un culte aux martyrs que l'évêque déclare saints à travers les cérémonies de transfert et d'élévation de leurs restes ; en 993, le pape Jean XV publie la première bulle de canonisation : désormais seul le pontife peut déclarer la sainteté de tel ou tel martyr. A tous ces saints, réclamés par les fidèles, proclamés par les évêques, canonisés par le pape, on adresse des prières afin qu'ils intercèdent en faveur des croyants, on célèbre l'anniversaire de leur martyre, on vénère leurs restes, on consacre une chapelle.

Les églises romanes vont ainsi inaugurer ce qui deviendra une tradition dans l'architecture religieuse à partir du XI⁰ siècle : elles abritent un nombre parfois important de chapelles. Certaines de ces chapelles se présentent comme des absidioles, demi-cercles accolés au mur en demi-cercle du chevet, on les appelle alors "rayonnantes" ; d'autres sont alignées et ouvertes sur le transept, on les appelle alors "orientées". Pour accéder à ces chapelles depuis l'intérieur de l'église, un passage est créé tout autour du chœur, le "déambulatoire à chapelles rayonnantes".

Le culte des saints, en même temps qu'il multiplie les chapelles, entraîne aussi une nouvelle définition de la crypte. A l'origine, la crypte est une cavité enterrée contenant les reliques d'un saint, dans un but bien précis : abriter la relique et la cacher. On accédait à la crypte par des escaliers débouchant à l'est et à l'ouest du chœur, et accessibles à tous les fidèles dans les églises, mais seulement aux clercs dans les monastères et les cathédrales. Avec la fin des invasions, il est devenu inutile de cacher les reliques ; on les vénère dans la crypte quand on peut l'agrandir jusqu'à en faire une véritable salle d'office ; dans le cas contraire, on les expose dans des chapelles secondaires.

Ainsi s'est développée l'architecture des églises romanes. Mais on serait incomplet si l'on passait sous silence l'effort des constructeurs pour couvrir d'un toit unique l'ensemble du bâtiment, nef et collatéraux, effort qui sera poursuivi dans les siècles suivants et qui, chez les commentateurs contemporains, donne matière à de subtiles distinctions entre la maîtrise des volumes et celle des masses.

Au début du IX⁰ siècle fut retrouvé sur la côte de Galice les restes de l'apôtre saint Jacques, évangélisateur de l'Espagne. Des légendes circulent immédiatement qui racontent les miracles du saint terrassant les Mores : l'Espagne est occupée par les musulmans et rêve de reconquête ; celle-ci commencera en l'an 1000, et durera cinq siècles. L'apôtre devient naturellement le saint patron des chrétiens engagés dans la lutte, et Compostelle un lieu de pèlerinage de plus en plus fréquenté ; une cathédrale y est bâtie entre 1075 et 1122. D'où venaient-ils, ces pèlerins ? Pas d'Espagne, bien sûr, mais de France. Rivalisant avec Jérusalem et Rome, Compostelle attire des foules hétéroclites, où se mêlent jeunes et vieux, riches et pauvres, gueux et clercs, vierges pures et filles des rues, marchands et truands, tous s'appuyant sur un long bâton et portant une coquille Saint-Jacques en sautoir.

Quatre routes principales menaient à Compostelle : à l'ouest, de Tours via Bordeaux, Dax, Pampelune ; au centre, de Vézelay via Limoges, Périgueux, Pampelune ; à l'est, du Puy via Cahors, Lectour et Pampelune ; au sud-est enfin, d'Arles via Toulouse, Oloron, et le col du Somport. Or, sur chacune de ces routes, on édifia, aux XI⁰ et XII⁰ siècles une grande église reproduisant les options prises pour la

Vézelay : le sonneur d'olifant

Très vite après sa fondation au IX⁰ siècle comme monastère pour religieuses, Vézelay est devenu un lieu de pèlerinage : il abrite les reliques de sainte Marie-Madeleine. Il fut aussi une halte sur les chemins de Compostelle. Ce chapiteau est le plus ancien de Vézelay ; il date du XII⁰ siècle alors que les reconstructions de Viollet-le-Duc au XIX⁰ siècle sont nombreuses à l'intérieur comme à l'extérieur du sanctuaire ; l'imposant tympan d'entrée, par exemple, a été reconstitué.

cathédrale de Compostelle, devenue de ce fait modèle pour l'architecture romane de pèlerinage : Saint-Martin à Tours, Saint-Martial à Limoges, Sainte-Foy à Conques, Saint-Sernin à Toulouse. Ce sont de vastes édifices capables d'accueillir simultanément et sans que soient perturbés les offices, des milliers de pèlerins, en plus des moines, des religieux et des fidèles ; le plus frappant est la largeur inhabituelle du transept sur lequel s'ouvrent des chapelles "orientées" (pour la définition, voir plus haut) et celle du "déambulatoire à chapelles rayonnantes" (voir plus haut) qui permet de circuler autour d'un chœur très profond.

Restent les moines. Ils étaient très nombreux. L'ordre clunisien, à son apogée, ne comptait pas moins de 1 200 établissements, répartis sur l'Europe occidentale, certains abritant jusqu'à 300 moines. Ces moines étaient riches et vivaient pauvrement. Ils priaient Dieu et servaient leurs semblables. Ils cultivaient les parchemins et la nature, ils bâtissaient aussi. Ils ont tapissé le territoire de monastères splendides ; pensez à la Bourgogne.

Tous ces monastères possèdent un certain nombre de points communs : la taille d'abord, églises au chœur spacieux, enrichi de chapelles, autels secondaires autour du maître-autel, transept imposant destiné aux moines, aux novices et aux enfants, une longue nef éclairée pour les servants, les hôtes et les fidèles, un clocher pour sonner les offices, une avant-nef pour rassembler les processions, une tribune pour éviter les encombrements. Le réfectoire est immense, comme les dortoirs. Les communs permettent à la communauté de vivre en autarcie.

Sur le plan esthétique deux tendances s'opposent. D'un côté, les Cisterciens, ordre récent créé en 1098 dans le mouvement de réforme de l'Eglise engagé par le pape Grégoire VII, ordre au sein duquel s'affirma saint Bernard, défendent une décoration sobre et fonctionnelle ; d'un autre côté, les Bénédictins, ordre vieux de cinq siècles, cultivent l'ornement et la parure. A la première école se rattache par exemple Fontenay, avec son architecture toute en lignes droites et angles à 90°. A la seconde, Cluny et Vézelay.

De Cluny, la Révolution n'a laissé que quelques tronçons de colonnes et vestiges de chapiteaux. C'était pourtant la plus grande cathédrale de la chrétienté : 181 mètres (Notre-Dame de Paris : 130 mètres), deux transepts, cinq chapelles rayonnantes, une nef à onze travées et double bas-côtés, d'immenses arcades en arc brisé, des chapiteaux remarquables, les peintures éclatantes de l'abside dont il ne reste que le témoignage des contemporains, quatre clochers, sans compter les deux tours qui flanquaient le porche d'entrée.

A Cluny, l'art roman atteint une perfection. Son influence s'étendra sur toutes les constructions postérieures, notamment en Bourgogne : à Paray-le-Monial, à Autun et, surtout, à Vézelay, dont l'œuvre sculpté est dû au ciseau du Maître de Cluny.

Longtemps, on n'a vu dans l'art roman qu'une transition entre l'art antique "corrompu" (sic) par les influences barbares, ou le "vestibule" (sic) du style gothique ogival. Or il est beaucoup plus qu'un art de transition, il est un art véritablement abouti, grandiose, inventif, à la fois austère et foisonnant, démesuré et sobre. En fait, témoin d'une époque éclatante à la fois de vigueur et de religiosité.

L'art gothique

L'acte de naissance du style gothique est daté du 9 juin 1140 et signé "abbé Suger". Ce 9 juin, en effet, est dédiée la façade de l'abbatiale de Saint-Denis. Trois ans et trois mois plus tard, le chevet est consacré. Or ce qui caractérise ces constructions c'est que, à l'inverse de ce qui se faisait jusqu'alors, elles resplendissent de lumière. Elles enserrent la nef d'une ancienne église carolingienne, dont les murs ne seront rebâtis que plusieurs années plus tard, et dont l'abbé Suger dit que déjà ils brillent car "brille tout ce qui est brillamment relié à des parties brillantes de lumière." Sous le portail, les portes sont en bronze doré pour "éclairer les esprits afin qu'à travers les lumières de vérité, ils puissent se rendre jusqu'à la vraie lumière à laquelle le Christ donne accès."

L'esthétique de la lumière, qui est la caractéristique principale de l'art gothique, n'est chez l'abbé Suger que la conséquence d'une théologie. Dieu est lumière. Dans la maison de Dieu, l'espace doit devenir lumière.

L'abbé avait lui-même dessiné les plans de son abbatiale (c'était un de ces génies universels comme le Moyen Age en a produit quelques-uns, homme d'église, homme politique, historien, esthète, guerrier, diplomate, ambassadeur, régent du royaume, que sais-je encore).

Ce qui est extraordinaire c'est que le génie des architectes ait su trouver les réponses techniques à cette soif de lumière et de lumière divine. Leurs prédécesseurs du siècle précédent avaient conçu leurs églises et leurs

basiliques pour satisfaire des besoins concrets : augmentation du nombre des fidèles, culte des saints et des reliques, essor des pèlerinages. Eux vont chercher des solutions à un besoin spirituel, théologique avant d'être esthétique. Ce sont leurs trouvailles techniques qui permettront d'alléger les structures, d'ouvrir les murs, d'agrandir les espaces. Et au style gothique de s'épanouir.

Ces trouvailles techniques, on peut les énumérer rapidement :

– l'arc ogival pour remplacer l'arc cintré. Dans l'architecture romane, les voûtes comme les fenêtres étaient surmontées d'un arc en demi-cercle renversé. Dès la fin du XIe siècle avaient été expérimentés l'arc brisé (le demi-cercle devenant un V renversé), puis l'arc ogival (les montants du V renversé se courbant) et leur supériorité technique vérifiée : les poussées nées du poids de la maçonnerie étaient déplacées vers les points d'appui au lieu d'écraser les arcs. La généralisation de l'arc ogival permettra l'étirement vers le haut des voûtes et des ouvertures, leur affinement et deviendra le signe distinctif du style gothique.

– la voûte sur croisée d'ogive pour remplacer la voûte en berceau et la voûte d'arête. La voûte en berceau se présentait comme un demi-cylindre géant renversé, la voûte d'arête comme le croisement à angle droit de deux voûtes en berceau : les arêtes se formaient à la diagonale des points d'appui. Le trait de génie a été de substituer à ces arêtes de véritables arcs de pierre se rejoignant sur une clé de voûte et ainsi de concentrer la totalité des poussées sur les supports : libérés de toute fonction porteuse, les murs pouvaient être évidés, remplacés par des fenêtres ou des vitraux, bref ouverts à la lumière.

– les arcs-boutants pour remplacer les contreforts et alléger les murs. Dans l'architecture romane, les poussées s'exerçant sur les murs, c'est la totalité de l'édifice qui devait être renforcée par les contreforts. Désormais la totalité des pressions s'exerce sur les seuls points d'appui. Comment éviter que ceux-ci ne cèdent ? On a imaginé d'élever à l'extérieur du bâtiment, au droit de chaque support, un demi-arc reposant sur une culée, elle-même surmontée d'un clocheton en forme de pyramide ou de cône : le pinacle. La solution n'était pas seulement efficace, elle était élégante : à la rigidité des murs romans succédaient des découpages de pierre, des successions d'élégantes arcades. Voyez Notre-Dame de Paris. Voyez Reims. Voyez Strasbourg. Voyez Bourges. Voyez Amiens. Voyez les toutes ou presque.

Telles sont les avancées techniques fondamentales au XIIe siècle. Alors les constructeurs peuvent donner libre cours à leur ambition de lancer vers le ciel des nefs hautes et légères : 24,4 mètres (Sens), 26 mètres (Noyon), 35 mètres (Paris), 37 mètres (Chartres), 43 mètres (Amiens), 48 mètres (Beauvais).

Dans le même temps, ils affinent les murs et toutes les structures, percent d'immenses baies qui deviendront autant de vitraux. Ils plantent sur l'ensemble des flèches ajourées. Ajoutez à cela un chœur agrandi, des chapelles profondes desservies par un déambulatoire souvent double, de magnifiques porches d'entrée. Ajoutez que le souci d'élégance a dicté d'envelopper le chevet et ses chapelles rayonnantes d'un mur, comme d'une draperie de pierre : finies les absidioles accolées au mur extérieur du chevet comme autant d'excroissances. Vous avez un condensé des caractéristiques majeures de l'architecture gothique.

Les historiens d'art n'ont pas manqué de disséquer, d'analyser, de classer les multiples évolutions apparues pendant les trois siècles du "temps des cathédrales", comme l'a magnifiquement appelé Georges Duby : gothique initial, style 1200, gothique de l'âge d'or, gothique rayonnant, gothique flamboyant. (On a du mal à se représenter qu'il s'est écoulé davantage de temps entre la construction de la basilique Saint-Denis, commencée en 1135 et celle de la cathédrale Saint-Maclou à Rouen achevée en 1521 qu'entre celle du château de Versailles et celle du musée Pompidou !). L'exercice, si nécessaire au scientifique, est peu utile au non-spécialiste, plus curieux de l'évolution à long terme que des soubresauts de la création, plus soucieux de comprendre un monument tel qu'il le voit aujourd'hui que les enchevêtrements des tendances qui ont marqué son élaboration. Il n'est donc pas sans intérêt d'identifier les innovations plus ou moins éphémères qu'il peut rencontrer et de montrer autant que faire se peut pourquoi et où elles sont apparues.

Tenez : dès le premier âge du gothique apparaît une nouveauté qui aura une grande influence sur la décoration des nefs mais disparaîtra, sera même corrigée très vite : la voûte sexpartite.

Le but est toujours d'alléger et d'affiner. Pour cela, au lieu de juxtaposer des éléments de voûtes rectangulaires, portant sur une travée, et divisés en quatre quartiers par deux arcs diagonaux, on a juxtaposé des

éléments quadrangulaires portant sur deux travées et divisés en six quartiers par l'ajout d'un arc transversal ; ainsi, la charge portant sur cet arc étant beaucoup moins lourde que celle portant sur les arcs diagonaux, on a pu remplacer le pilier central par un pilier très mince.

La voûte sexpartite et l'alternance des piliers se retrouvent à Saint-Denis, à Sens. A Noyon, à Senlis, à Laon, les remaniements postérieurs remplacent la voûte sexpartite par une quadripartite. A Laon, à Paris, on reste fidèle à la sexpartite mais on supprime l'alternance des supports : toutes les colonnes présentent la même section et le même aspect. A Chartres, on abandonne la voûte sexpartite. Or regardez les dates : Sens : 1130, Saint-Denis : 1135, Noyon : 1145, Senlis : 1153, Laon : 1163, Paris : 1163, Chartres : 1194. Il s'agit bien d'une évolution.

Originellement, la nef gothique comportait deux bas-côtés, parfois doubles dans les grands édifices ; mais à Toulouse, à Albi les architectes ont opté pour la nef unique. Cette nef gothique, toujours en quête d'élévation, s'enrichit d'un quatrième niveau, au-dessus des arcades et des tribunes, et sous les fenêtres hautes, le triforium ; il s'agit d'une galerie intermédiaire, ajourée, dont la seule fonction était architecturale mais qui souvent a servi pour circuler, voire pour absorber le trop-plein de fidèles. Laon, Noyon, Soissons, Saint-Denis, Troyes, le Mont-Saint-Michel en sont de bonnes illustrations.

Puis, vers le milieu du XIIe siècle, on revient à trois niveaux en supprimant non pas le dernier-né, le triforium, mais les tribunes ; on ne diminua pas pour autant la hauteur totale, mais on agrandit au maximum les surfaces vitrées ; le modèle est Chartres ; il se répète à Reims, à Amiens, à Beauvais.

Plus tard encore, aux XVe et XVIe siècles, on supprimera même le triforium ; les murs étireront vers le haut deux étages, celui des arcades et celui des fenêtres, celles-ci aussi immenses que celles-là : c'est l'époque dite du gothique flamboyant, où l'on construit très peu d'édifices nouveaux (Saint-Nicolas-de-Port en Meurthe-et-Moselle fait exception), mais où l'on pare les anciens (Rouen, Auxerre, Vendôme) de dentelles de pierre et d'irisations de verre.

Dans la plupart des églises chrétiennes, dès les plus anciennes, une nef transversale, le transept, venait couper la nef principale et la séparer du chœur. Dans les grandes églises romanes de pèlerinage, ce transept avait pris des dimensions énormes, à Cluny il s'était franchement dédoublé. Les architectes gothiques, eux, vont le négliger : ils s'intéressent essentiellement à la nef principale. Parfois, ils rognent le transept pour le faire entrer dans l'alignement du mur extérieur, parfois, après l'avoir rogné en longueur, ils l'élargissent démesurément en largeur, l'assimilant en quelque sorte aux bas-côtés d'une nef principale (Amiens, Reims), parfois enfin, ils le suppriment purement et simplement (Laon, Notre-Dame de Paris).

Alors que font-ils de la nef principale, objet de tant de soins ? Un jaillissement de lumière. Finis les murs opaques, le sanctuaire replié sur son obscurité. Les ouvertures se font de plus en plus hautes, de plus en plus larges. La transparence partout. Mais pas de contresens : ces fenêtres n'invitent pas à l'évasion ; elles ne sont pas un appel vers l'extérieur ; tout au contraire : elles captent la lumière du dehors pour illuminer la maison de Dieu – Dieu est lumière –, elles la transfigurent, elles la déversent sur les fidèles : avant d'être une œuvre d'art, le vitrail est une œuvre de foi. L'apogée sera atteint avec ce que l'on a appelé le gothique rayonnant, inauguré avec la reconstruction du chœur de Saint-Denis, et dont le plus pur chef-d'œuvre est la Sainte-Chapelle de Paris ; là les vitraux couvrent la presque totalité des surfaces murales, du plancher au plafond.

Le XIIe siècle fut l'âge d'or du vitrail. Les murs évidés ne pouvant plus porter les grandes peintures qu'affectionnaient les artistes romans, la peinture est la grande absente des églises gothiques. Le vitrail assure le relais de ses représentations. Il l'imite : les thèmes et les styles se font écho. Mais il crée aussi. Sa technique restera contraignante jusqu'à l'invention des peintures émaillées tard dans le XIVe siècle : le verre est teinté dans la masse, chaque pièce ne porte qu'une couleur ou une nuance, l'assemblage apparent le vitrail à la mosaïque. Les couleurs atteignent leur plus haut niveau de luminosité à Chartres (le bleu pâle dit de Chartres est célèbre) ; la technique de la "grisaille" qui consiste à associer les parties exécutées sur verre de couleur à des panneaux incolores augmente l'éclairage. Les grandes verrières sont consacrées aux scènes bibliques, aux patriarches, aux prophètes et aux saints.

Les immenses rosaces (10 mètres de diamètre à Notre-Dame-de-Paris), sur la façade principale ou les façades des transepts, portent les visions de l'Apocalypse, le Jugement dernier. Plus près du sol, donc plus facilement lisibles, les médaillons, d'ailleurs de

formes variées, servent de support pédagogique : les fidèles y voient défiler les récits bibliques. L'œuvre des maîtres-verriers gothiques est à la fois gigantesque et magnifique. C'est un des plus émouvants témoignages de la fécondité artistique du Moyen Age.

Ce n'est pas le seul : l'œuvre sculpté suscite une égale admiration. Vocations parallèles : comme les vitraux, les sculptures existent par et au service de l'architecture ; dès Saint-Denis elles participent comme elle à la tension verticale des monuments, avec notamment l'apparition des statues-colonnes (qui ne sont pas à proprement parler une nouveauté : à Athènes déjà les statues des Cariatides soutenaient le toit de l'Erechteion !).

On trouve de telles colonnes à Chartres, à Bourges, mais peut-être leur statut freinait-il la liberté des sculpteurs : au XIIIᵉ siècle, la statue reprend définitivement son indépendance. Complément horizontal de la statue-colonne, le gisant ne connaît pas les mêmes contraintes ; il accompagne les évolutions de l'esthétique : au XIIᵉ siècle, il présente des personnages jeunes, même s'ils sont morts âgés, beaux, même s'ils étaient contrefaits ; un siècle plus tard, il les reproduit tels qu'ils étaient.

La même tendance s'observe sur cet autre large volet de la sculpture gothique : les tympans. Il était normal que ceux-ci prennent leur essor dans les porches majestueux. Or regardez les plis des vêtements, et l'expression des visages : à partir de la fin du XIᵉ siècle, ils traduisent une avancée du réalisme et de l'humanisme. L'église n'est plus seulement la maison du Dieu du jugement dernier, elle devient un miroir de l'humanité ; la Vierge, les saints, les anges ne sont plus seulement des témoins du mystère divin, mais les intercesseurs des hommes. Le gothique s'achemine vers la Renaissance.

La période gothique fut certainement une des plus fécondes de l'histoire de l'art en France. Elle était avide de lumière : elle en créa à profusion.

De l'art roman, elle sut rejeter ce qui ne convenait pas à sa nature : les chapiteaux, les œuvres peintes murales ; elle sut perfectionner ce qui était conforme à son inspiration : les tympans, la structure des églises ; elle sut surtout innover et rayonner dans tous les domaines, cultivant la verticalité et la légèreté, inventant un art dynamique en contraste avec le statisme des siècles précédents. Et quelle vitalité : au XVIᵉ siècle, on construisait encore du gothique (la basilique de Saint-Nicolas-de-Port fut achevée en 1545 en style gothique flamboyant) !

Le palais des Papes

C'est notamment pour des raisons de sécurité que la papauté s'est, au début du XIVᵉ siècle, installée en Avignon. Cela se voit dans l'architecture du palais construit en deux temps : la partie nord, édifiée par Benoît XII de 1334 à 1342, a tout d'une forteresse : épaisses murailles, créneaux, arbalétrières, mâchicoulis ; ses successeurs Clément VI et Innocent VI introduiront un peu plus de douceur. Un peu seulement : la porte des Champeaux que l'on voit sur notre document reste encore fortement marquée par l'architecture militaire. Le palais des Papes est tout à la fois une place forte, un palais de pouvoir et un lieu d'habitation. Et un exemple d'un style gothique sévère et magnifique.

LES SEIGNEURS ET LES ROIS
La féodalité

Au début était la motte. Elle devint tour, puis bâtisse fortifiée, puis château de plus en plus complexe, de plus en plus raffiné. En fin de course : Versailles, chef-d'œuvre du paraître.

Cette mutation dans l'architecture et l'esthétique des châteaux s'étale sur sept siècles, et trois périodes : du X\e au XI\e siècle, le temps des féodaux ; au XVI\e, le temps de la Renaissance, au XVII\e celui du baroque et du classicisme. Elle fut rendue possible par un formidable élan politique et économique.

X\e siècle. La dynastie des Capétiens vient de monter sur le trône de France, pour 800 ans. Mais qu'est-il leur royaume ? Un morcellement de principautés, de comtés et de vicomtés. Le système féodal s'impose, selon lequel toute terre relève d'une autre terre et tout homme d'un autre homme. Le roi concède en fief une partie de son domaine à un seigneur, lequel en acquiert la propriété et la souveraineté : il en gère les finances, y rend la justice, en fixe les lois ; il peut concéder ce fief à un vassal dont il devient le suzerain.

La féodalité a eu entre autres conséquences celle, heureuse, de donner naissance à la chevalerie, celle, très grave, de morceler le territoire en une série de principautés sur lesquelles le pouvoir central n'avait qu'une autorité lointaine et entre lesquelles se succédaient conflits, guerres et pillages. Les règnes des premiers Capétiens, Hugues, Robert II, Henri Ier, Philippe Ier sont de longues séries de batailles pour mettre à bas ces souverainetés particulières et restaurer (ou faut-il dire instaurer ?) l'autorité du pouvoir central : lutte contre les ducs de Lorraine, contre les ducs de Bourgogne, contre les ducs de Normandie. Habilement, Louis VI le Gros, Louis VII le Jeune et, surtout, Philippe Auguste sauront saisir les occasions d'unir leurs vassaux autour de leurs oriflammes, qu'il s'agisse de guerroyer en Terre sainte (les Croisades) ou de reconquérir, province par province, les deux tiers du pays occupés par les Anglais (guerre de Cent Ans : l'Aquitaine ne redeviendra française qu'en 1475 !).

Louis XI contraint enfin la noblesse à s'assujettir à son autorité en déjouant la coalition des grands féodaux dite "Ligue du bien public" et en triomphant du duc de Bourgogne, l'entêté Charles le Téméraire. A sa mort, en 1483, ce roi mal-aimé, car sévère, laisse une France agrandie et un pouvoir centralisé et consolidé.

Anjony :
la France des seigneurs

Ce remarquable château, situé près d'Aurillac, fut construit par un compagnon de Jeanne d'Arc et, depuis, ses quatre donjons hauts d'une quarantaine de mètres ont peu changé. Hormis l'ajout d'une aile XVIII\e, Anjony a conservé intact son visage de forteresse.

Pages précédentes
Versailles :
la France des rois

Le château de Versailles constitue l'apothéose de l'art classique. Il ne s'agit plus de constructions pour la guerre, mais pour la Cour, pour le Gouvernement, pour la diplomatie, pour l'intrigue et pour la beauté.

Depuis le premier Capet, l'effort de pacification et d'affirmation de l'autorité royale a duré cinq siècles. Ce n'est pas peu : c'est, à quelques années près, la distance qui nous sépare de la mort de Louis XI ! Et cet effort s'est accompagné d'une profonde mutation sociale. Les paysans se sont peu à peu groupés sous la protection de leur seigneur ; aidés par une embellie climatique, encouragés par les trêves de Dieu ils assurent des récoltes de plus en plus abondantes ; les villes grandissent ; partout on se met à cultiver, à construire, à vendre ; c'est l'époque des grandes foires ; on améliore et on embellit le cadre de vie.

L'architecture des châteaux est directement inspirée par cette évolution historique. A l'origine il s'agit de

se protéger et d'affirmer la puissance du seigneur du lieu. Tel est le but des "mottes", sortes de collines artificielles, érigées de plus en plus haut, étalages de plus en plus voyants d'une force de frappe… et moyens d'en apporter la preuve en cas d'attaque : on se bat plus efficacement quand on surplombe l'adversaire. La suite est une succession de progrès : on ceint la motte d'une muraille,

on en fortifie la porte, on plante en son milieu une tour, ancêtre du donjon si caractéristique des édifices de l'époque, on creuse un fossé autour de la muraille. Les architectes de Philippe Auguste conceptualiseront le plan du château moyenâgeux : une enceinte rectangulaire, dotée d'une porte fortifiée, flanquée de tours rondes : le Louvre primitif tel qu'on le devine dans son sous-sol actuel en est l'illustration.

Les progrès de la guerre entraînent ceux des constructions guerrières : les tours se couronnent de créneaux, de mâchicoulis (créneaux verticaux permettant de voir le pied des murs), les murs se coiffent de hourds (chemins de ronde de bois, construits en encorbellement et dont le plancher était percé d'orifices permettant, comme les mâchicoulis, de voir les pieds des murs), ils se percent d'archères (fentes plus ou moins hautes dans les murs permettant aux archers de tirer sans être atteints), puis de canonnières ; les portes s'équipent d'un pont-levis, d'une herse, de meurtrières.

Avec le temps l'esthétique du château-fort ne change guère : elle reste prisonnière de lignes et de figures géométriques : tout y est carré, rectangulaire, ou rond ; de la fantaisie, point, ou peu, de la décoration moins encore. Du moins dans la partie externe de la construction. A l'intérieur, c'est différent. Car la fonction du château n'est pas seulement militaire, elle est aussi civile, et de plus en plus avec les siècles. A l'origine, le donjon sert de refuge à la famille du seigneur, puis aux familles de ses vassaux, et à celles de ses paysans. Le château devient cadre de vie et, en tant que tel, se pare d'ornements à la richesse croissante.

Le rez-de-chaussée étant réservé aux services et aux communs, c'est au premier étage que vit la famille seigneuriale. Une grande salle sert tour à tour de salle à manger (on dresse alors des tables sur tréteaux), de salle de jeux, de salle d'audience, de salle de bal. Austère et nue à l'origine, elle s'agrémente très vite de sols colorés, de tapisseries murales, de coffres, de dressoirs, de sièges à hauts dossiers. Les dortoirs sont plus loin, mixtes plusieurs siècles durant, puis différenciés ; seuls le seigneur et ses hôtes de marque ont le privilège d'une chambre individuelle.

Nous sommes à la fin du XVe siècle. Les seigneurs ne se battent plus entre eux ; la guerre, lorsqu'ils la font, c'est à l'étranger. Le château devient le domaine de leurs épouses. L'heure de la Renaissance et du raffinement a sonné.

Haut-Koenigsbourg

Le château actuel est assez récent : pour asseoir la puissance du IIe Reich sur l'Alsace reconquise, Guillaume II décida d'élever un château sur l'emplacement de forts construits par Frédéric Barberousse. Le Kaiser inaugura en grande pompe le château au printemps 1908. C'était sa troisième reconstruction. La forteresse fut une première fois mentionnée en 774, lorsque Charlemagne cède le site. Au XIIe siècle, on sait qu'il existe deux tours à chaque extrémité de cette plate-forme de 757 mètres, et que le site appartint, entre autres, aux ducs de Lorraine, aux ducs d'Alsace et à l'évêque de Strasbourg, avant de devenir un repaire de brigands détruit par la coalition de Bâle, Colmar et Strasbourg en 1462. Des comtes suisses reconstruisirent une citadelle fortifiée avec, à l'intérieur de l'enceinte, des habitations et, pour se protéger, des tours à canons le long de l'enceinte. En 1633, durant la guerre de Trente Ans, les Suédois assiègent et incendient la forteresse.

Pages suivantes

Beynac

Ici, nous sommes dans un autre cas de forteresse détruite et reconstruite au hasard des conflits. Edifié en 1115, le château de Beynac, réputé imprenable, est une première fois pris et rasé par Simon de Montfort en 1214, pendant sa campagne contre l'hérésie cathare. Restauré, il sert de base contre l'avancée des Anglais pendant la guerre de Cent Ans. Au XVIe siècle, on remanie à plusieurs reprises le logis, en perçant notamment la façade de nombreuses fenêtres à meneaux. Cette demeure seigneuriale parfaitement entretenue est aujourd'hui l'un des plus beaux spécimens de forteresse aménagée.

La Renaissance

Fontainebleau

François Ier releva ce rendez-vous de chasse abandonné en rasant ce qui restait des bâtiments moyenâgeux; il édifia à leur place un palais Renaissance d'une architecture et d'un style totalement novateurs.

Le Moyen Age, au fond, était utilitaire : il a créé ses chefs-d'œuvre pour servir Dieu – églises et monastères – ou pour guerroyer – châteaux forts –. La Renaissance cultivera la beauté pour elle-même et ne cherchera qu'à servir l'homme.

La Renaissance ! en fallait-il de l'audace pour s'attribuer un mot pareil (il a été importé d'Italie dès la fin du XVe siècle) et pour tirer un trait sur les cinq siècles précédents, globalement étiquetés "gothiques"; comprenez :

barbares. Cet art gothique pourtant avait été inventé dans un formidable élan créatif. Le mouvement de la Renaissance, lui, est importé, ramené d'Italie dans les bagages des expéditions militaires de Charles VIII, de Louis XII et de François Ier.

Un mot de l'époque : elle est riche et brillante. Le roi dispose d'un pouvoir affermi, d'un domaine agrandi, de ressources considérables grâce à une particularité nationale : les roturiers (les neuf dixièmes de la population) sont assujettis à un impôt permanent, la taille, proportionnel à leur propriété foncière et à leur fortune estimée.

Les finances publiques sont donc régulièrement alimentées. Les Anglais ont été chassés de France, la menace bourguignonne écartée.

La population ne cesse de croître : avec ses 18 millions de sujets, la France est le pays le plus peuplé d'Europe. L'économie, tirée par l'agriculture et la construction, affiche une relative prospérité. Ce n'est pourtant pas une période calme : à l'extérieur, les campagnes contre Charles Quint ravagent les provinces frontalières et ruinent les finances publiques ; à l'intérieur, les guerres de Religion égrènent scènes d'horreur et massacres. Car ce siècle est celui de Calvin, mais aussi de Rabelais, de Montaigne, de Pic de la Mirandole et d'Erasme. L'histoire est un permanent paradoxe : les penseurs les plus sceptiques cohabitent avec les plus sectaires, la barbarie côtoie le raffinement, le luxe voisine avec la pauvreté.

Paradoxe encore : dans le même temps, on officialise la langue française par le décret de Villers-Cotterêts (1539) et l'on fait décorer Chambord et Fontainebleau par des artistes étrangers, on détrône le latin au moment même où l'on redécouvre les œuvres et les auteurs antiques.

Pages suivantes
Blois :
l'escalier François Ier

Escalier octogonal à vis, construit en saillie, et percé de balcons, il a été édifié entre 1518 et 1524 dans le plus pur style Renaissance. La décoration alterne ornements antiques et salamandres, emblèmes de François Ier.

Chenonceau

Ces arches sur le Cher constituent une audace architecturale et une réussite stylistique exceptionnelles : elles ont fait la célébrité du site. La terre de Chenonceaux appartenait à un receveur général des finances qui, en 1515, fit édifier, sur l'emplacement d'un vieux moulin, une splendide habitation de style italien, avec façades symétriques et, à l'intérieur, un escalier à rampe droite. A sa mort, sa famille se ruine pour achever la construction. Pour payer ses dettes, elle doit abandonner le château au roi. Henri II l'offre à sa maîtresse, Diane de Poitiers : c'est elle qui fera construire par Philibert Delorme les arches du

Sur le plan culturel, deux mots en – isme caractérisent la Renaissance : humanisme et italianisme. L'humanisme désignait chez les Italiens, à qui nous l'avons emprunté, les disciplines littéraires par opposition aux disciplines artistiques et juridiques (les trois grandes catégories pédagogiques). Très vite au XVIe siècle, il a couvert toute l'activité philosophique, et s'est appliqué à une philosophie de l'homme – de l'homme croyant d'ailleurs : l'humanisme de la Renaissance est un humanisme chrétien. Quant à l'italianisme, il s'est manifesté par l'apport d'une esthétique de l'équilibre et du mouvement et par un retour vers l'antiquité classique.

A la différence de l'édifice roman ou gothique qui s'adaptait aux nécessités du terrain et aux exigences de sa fonction, le château Renaissance s'efforce d'être symétrique ; il est organisé autour d'un centre, le plus souvent occupé par un escalier au dessin extraordinairement recherché : escalier à double révolution à Chambord, escalier à balcons à Blois (primitivement il était bien au milieu du bâtiment), escalier à vis à Chaumont, escalier à rampe droite à Chenonceau, pour n'en citer que quelques-uns ; les ailes se font vis-à-vis, les tours se répondent, les fenêtres s'alignent.

Le plan s'assouplit avec le temps : la seule vocation du bâtiment est d'offrir un cadre de vie. La décoration se fait de plus en plus luxueuse ; aux entrelacs, dais et devises hérités du gothique succèdent les coquilles, vases, rinceaux, amours, pilastres, bustes en médaillons, cornes d'abondance, *putti* natifs de la péninsule et sculptés en faible relief sur les façades. Même les cheminées sur les toits sont sculptées. Ce même goût du

mouvement se retrouve dans le vitrail et surtout dans la peinture et la sculpture qui se complaisent à montrer des drapés voluptueux, des visages expressifs et sensuels, des corps féminins sveltes effectuant des gestes souples. On est loin des poses hiératiques ou caricaturales de l'iconographie médiévale...

En 1641, François Ier appelle auprès de lui un architecte italien fort admiré dans son pays, Sebastiano Serlio. L'homme a quarante ans ; il a beaucoup étudié l'architecture antique. Il restera en France jusqu'à sa mort treize ans plus tard, construisant peu mais écrivant beaucoup. Son séjour sera l'occasion d'une controverse entre ceux qui le considèrent comme un plagiaire et ceux qui admirent son génie. L'important est que dans ces années 1640 apparaît une génération de jeunes architectes qui ont noms Philibert Delorme, Jean Bullant, Jean

Goujon, qui ont fait le voyage en Italie et qui s'inspirent de l'œuvre de Serlio pour inventer un style français original. Qu'apportait Serlio ? Le retour aux cinq ordres de l'architecture antique (toscan, dorique, ionique, corinthien, composite), le retour à l'arc de triomphe. Les architectes français vont multiplier les ordres antiques, mais en innovant : ici les colonnes géantes enjambent deux étages, là les chapiteaux portent deux rangs de laurier, ailleurs les colonnes sont baguées ; ils vont aussi s'inspirer des arcs de triomphe, mais pour dessiner des portails, des pavillons d'entrée, des avant-corps.

Ainsi, à partir des modèles italiens et antiques qui sont la marque de la Renaissance, ils créent leur style propre, fait à la fois de liberté et d'équilibre, et qui trouvera son expression la plus complète dans la période classique.

pont sur le Cher en 1555-1559 ; mais à la mort du roi, en 1559, sa veuve, la régente Catherine de Médicis, contraint Diane, son ancienne rivale, à lui remettre le château et confie à son architecte Jean Bullant le soin d'édifier au-dessus des arches l'éblouissante galerie où elle donnera des fêtes magnifiques.

Pages suivantes
Chambord

Chambord, ou l'alliance du gigantisme et de l'équilibre : 440 pièces, 83 escaliers, dont le célèbre escalier central à double révolution, une forêt de toits, 365 cheminées et pourtant des proportions d'une parfaite élégance.

Le classicisme

Le XVIIᵉ siècle fut par excellence le siècle du paraître. C'est l'époque de Louis XIV, de la Cour, de l'étiquette, des fêtes et des fastes, même la guerre est en dentelles, quoique fort meurtrière ; les hommes portent des perruques, les femmes des robes à panier et des "fontanges", coiffures maintenues droites par des laitons : il y a chez les uns comme chez les autres tromperie sur la marchandise. La vie est un spectacle, dans lequel chacun joue un rôle adapté à sa condition et à son statut.

Le château le plus représentatif de ce temps est évidemment Versailles. Mais on pourrait prendre aussi pour référence Vaux-le-Vicomte, Maisons-Laffitte ou le Collège des Quatre Nations (= l'Institut). Versailles n'est ni un lieu à vivre (les conditions d'hygiène et de confort y sont déplorables), ni un lieu de pouvoir, même s'il est le siège du Gouvernement : il faudra Napoléon pour faire des Tuileries une véritable usine à gouverner ; Versailles est un décor, un parc d'attraction, où d'ailleurs le peuple est invité, un carrefour où l'on se croise, où l'on se montre, où l'on vient tenir son rang, où l'on met en scène ses répliques.

Au Moyen Age, on construisait des forteresses pour se défendre, à la Renaissance des habitations pour vivre, à l'âge classique des décors pour l'ostentation. Et, de même que les décors de théâtre changent d'acte en acte, de même le décor classique évolue de mode en mode ; à Versailles, on remplace les tapisseries murales au gré des saisons ; on enveloppe les constructions anciennes de structures nouvelles au gré des architectes et des caprices du roi : en 1661, Louis Le Vau ajoute les dépendances, grands bâtiments qui longent l'avant-cour ; en 1669, le même Le Vau et/ou François d'Orbay ceinturent le château vieux, l'ex-pavillon de chasse de Louis XIII, par un corps en forme de U, précisément et fort opportunément appelé "l'enveloppe" ; en 1680, Hardouin-Mansart habille les dépendances et ajoute les ailes du midi et du nord, cette dernière restée inachevée ; puis il comble le vide entre deux ailes de l'enveloppe côté jardin et bâtit à sa place l'époustouflante galerie des Glaces ; en 1699, il ajoute la chapelle, chef-d'œuvre de Versailles selon bien des auteurs ; le théâtre, œuvre de Jacques Ange Gabriel, sera mis en chantier après la mort de Louis XIV, en 1770.

De tous ces visages de Versailles, lequel est "classique" ou lequel "le plus classique" ?

Qu'il soit permis de faire ici un brin de sémantique. Doit-on dire du XVIIᵉ qu'il fut le siècle du baroque ou celui du classicisme ? Les deux, hélas, car les termes s'appliquent différemment selon les disciplines et selon les écoles. Bonjour la simplicité ! Pour certains, l'art baroque est une transition outrancière entre une Renaissance sage et un classicisme raisonnable. Ni la chronologie ni l'histoire de l'art ne confirment formellement cette définition.

En musique, le mot baroque désigne toute la production depuis le milieu du XVIᵉ siècle et jusqu'au milieu du XVIIIᵉ. Dans les arts plastiques, il s'applique à toute une génération de peintres et de sculpteurs qui cherchent à animer de liberté et de mouvement les formes nées sous la Renaissance, non sans excès d'ailleurs.

L'architecture baroque, quant à elle, s'est développée surtout en Italie, dans le sillage de la contre-réforme, à coups de décorations somptueuses, de stucs et de moulures compliquées, avant d'essaimer avec plus ou moins de bonheur en Espagne, en Allemagne, en Autriche. En littérature, on parle plus volontiers de classicisme, du moins en France, alors que les commentateurs d'origine germanique généralisent le terme de "baroque". Conséquence : le classicisme est défini tantôt comme une réaction au style Renaissance, par référence à l'antiquité ou par souci maniériste, tantôt comme une réaction sobre et raisonnable aux exubérances baroques.

Qu'apporte le château classique à celui de la Renaissance ? Un sens de l'ordre, de la grandeur, de l'équilibre, une volonté de clarté et d'harmonie, une esthétique maîtrisée par la Raison. Regardez les façades : elles s'organisent autour d'un centre, répartissent équitablement, voire symétriquement les structures, équilibrent les proportions ; des frontons et des dômes les couronnent ; les colonnes n'enjambent plus les étages : les "ordres colossaux" disparaissent ; des pavillons remplacent les tours ; l'ornementation, rompant avec l'accumulation des thèmes caractéristiques du siècle précédent, répète un même motif avec régularité et une grande majesté ; de longues lignes horizontales scandent les bâtiments, des balustrades ceignent les murs ; aux lignes irrationnelles on préfère les droites, aux excès la sobriété, à la liberté la symétrie.

**Versailles:
la cour de Marbre**

*Comme toujours à Versailles, la
cour de Marbre est le résultat
des interventions de plusieurs
architectes et de plusieurs campagnes de travaux (1661,1668).*

On ne peut alors esquiver la question de savoir si
le classicisme est bien "la raison + la sensibilité" (par
opposition au romantisme = "la sensibilité sans la raison"), si le goût pour le déguisement y prime celui du
naturel, si les règles trop strictes y entachent l'art de trop
de rigidité, de trop d'inconfort, de trop de solennité gran-

diloquente... On le peut d'autant moins que la littérature,
la peinture, la sculpture, le mobilier obéissent aux
mêmes lois sévères, à la même dictature de la Raison.

Les jardins eux-mêmes, loin des carreaux fleuris
du Moyen Age, alignent de vastes perspectives, des
larges parterres et des tapis verts, privilégiant la vue et les

panoramas : jardins de Raison, par opposition aux jardins humanistes et antiquisants de la Renaissance italienne, par opposition aux jardins naturels anglais.

Mais tout raide et codifié qu'il soit, ce style classique français, ce "grand goût", comme l'a joliment qualifié Voltaire, s'il est, à l'origine, inspiré de l'Italie, rayonnera dans toute l'Europe, il sera imité dans tous les pays, il portera partout la renommée du Roi-Soleil et trouvera son aboutissement logique dans le siècle des Lumières… avant d'être dénaturé par la double invasion du rococo, déviation du baroque, et du romantisme, réaction contre la tyrannie de la Raison.

La façade habille l'ancien pavillon de chasse de Louis XIII. Le dallage, les 84 bustes de marbre, les colonnes sont de Le Vau, les toits et la balustrade de Hardouin-Mansart.

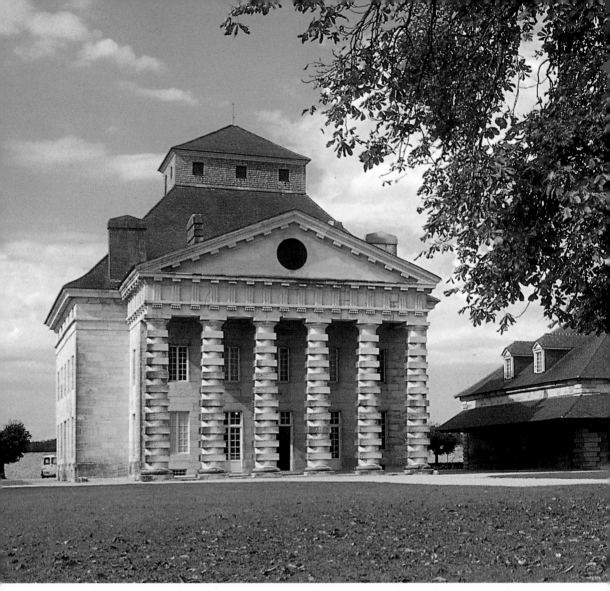

LA FRANCE DES UTOPIES

Le premier s'appelait Thomas More, il vivait en Angleterre au XVIᵉ siècle, c'était un humaniste, il inventa le mot "utopie" dont il fit le titre de son livre majeur ("une bagatelle littéraire échappée presque à mon insu de ma plume" dit-il !). Henri VIII en fit son chancelier, puis le fit décapiter : c'était dans ses mœurs. En 1935, More fut canonisé. L'utopie, mot qu'il a formé du grec "ou" (négation) et "topos" (lieu) est un pays qui n'existe pas, un lieu imaginaire, où vit dans le bonheur une société sans conflit.

Le second s'appelait Claude Nicolas Ledoux, il vivait en France au XVIIIᵉ siècle, il était architecte ; il bâtit un ensemble qu'il voulait utile mais qu'il n'acheva pas et qui illustre parfaitement la théorie de l'utopie : la saline d'Arc-et-Senans, en Franche-Comté.

A l'origine, la saline est une usine destinée à produire du sel en traitant des eaux selon un procédé dit "évaporation provoquée" qui suppose chauffage, fours et stocks de bois. A l'arrivée le projet est triplement utopique : 1) il tente de créer une usine idéale où cohabitent ateliers de production, logements des personnels et bureaux administratifs ; 2) il cherche à prouver qu'industrie et beauté ne sont pas inconciliables ; 3) il prévoit la construction d'une ville totalement onirique.

Le début des travaux se situe en 1775 ; le style néo-classique domine, avec ses lignes géométriques, ses plans symétriques, ses rangées de colonnes. La saline n'échappe pas à la règle. Mais elle innove. Le plan est en demi-cercle : le point central est, plus qu'un centre

géométrique, un symbole mystique : il est occupé par la maison du directeur autour de laquelle s'organisent dans une régulière alternance cinq pavillons austères, et, au-delà, la ville future ; les fûts des colonnes "à bossage cubique" (empilement alternatif de pierres rondes et carrées), les jeux de lumière et d'ombre sur les façades ajoutent à la grandeur de l'architecture.

Dans ce décor hors du commun, et incontestablement réussi, Ledoux rêvait que les hommes travaillent en harmonie, qu'ils exploitent les richesses naturelles avec modération, qu'ils soient organisés selon des règles sages, qu'en un mot ils vivent heureux.

Dans son esprit, la ville qui devait être construite autour de la saline aurait parachevé ce bonheur. Elle n'a jamais existé que dans son imagination, justifiant ainsi son étiquette d'utopie, de lieu imaginaire.

Mais voici quelques passages de la description qu'il en fit dans son ouvrage au titre significatif "De l'architecture considérée sous le rapport de l'art, des mœurs et de la législation" : "L'exemple est la plus puissante des leçons. Un bâtiment majestueux est consacré à la sagesse. (…) Vu de près le vice n'influe pas moins puissamment sur l'âme ; par l'horreur qu'il lui imprime, il la fait réagir vers la vertu. L'Oïkema présente à la bouillante et volage jeunesse qu'il attire la dépravation dans sa nudité… (…) L'Atelier de corruption, sous ses antres obscurs et profonds, lui découvre les sources empoisonnées qui altèrent la vigueur de la morale (…) Du Prétoire coule la source profonde et bienfaisante de la sécurité publique. Au Pacifère se concilient les intérêts des familles…" On l'a compris : l'utopie atteint ici les frontières de la déraison.

Arc-et-Senans

Une unité de production sans conflit, tout autour une ville dont les habitants ne songeraient qu'à répandre le bien et à faire partager leur bonheur… Tel était le projet d'un rêveur génial nommé Claude Nicolas Ledoux, architecte de son état : au moins reste-t-il de lui les magnifiques bâtiments de la saline d'Arc-et-Senans. Car cet utopiste était aussi un homme de talent.

LES VILLES ET LEURS CHEFS-D'ŒUVRE

Pages précédentes
Nancy
Edifiée de 1751 à 1755, la place Stanislas est une réalisation unique et saisissante : elle juxtapose le classicisme des bâtiments, la liberté de la ferronnerie et l'exubérance des dorures et de l'ornementation, très typique du style Louis XV : feuilles d'acanthe, coquilles, vases de fleurs.

"Bourgeois" : étymologiquement le mot signifie : "habitant d'un bourg." Il apparaît pour la première fois au début du XIᵉ siècle. Le bourgeois est un citadin par opposition au paysan qui est un rural. Son destin est lié à l'essor du commerce et à l'expansion des villes.

Avec la fin des grandes invasions une sécurité relative est revenue et, avec elle, la prospérité. La production des campagnes augmente. Les échanges se multiplient. Le commerce devient une activité importante et

lucrative. Les foires attirent de plus en plus de monde. Les marchands sont de plus en plus nombreux. Ils résident en ville. Depuis lors et encore aujourd'hui, la bourgeoisie est à l'origine de l'expansion des agglomérations urbaines.

Au Moyen Age, l'Europe s'enrichit de 130 000 villes nouvelles de plus de 2 000 habitants. Au XIVᵉ siècle, la peste mettra un coup d'arrêt à cette prolifération. Au XVᵉ, la Renaissance créera des villes fortifiées.

Le XVIIᵉ classique sera celui des résidences princières. A partir de la Révolution, on bâtit des villes fonctionnelles, industrielles, marchandes. Alors les urbanistes s'empareront de la ville et tenteront d'en faire des espaces de vie efficaces et point trop laids.

Il semblerait donc que le patrimoine de la France civile s'écarte délibérément de toute influence militaire ou de toute ingérence rurale. Il n'en est évidemment rien.

Les citadins n'ont jamais aimé la guerre, ils ne l'ont pas arrêtée pour autant. Ils ont toujours manifesté du mépris pour les gens de la campagne, ils n'ont pas pour autant cessé d'acheter leur production ni d'imiter

leurs paysages. A un bout de la chaîne, on trouve les villes fortifiées, à l'autre bout les villes vertes. En outre, les villes sont des organismes vivants, toujours en train de structurer, de déstructurer, de restructurer leur espace ; elles ne sont pas nées de rien ni au hasard ; il y avait toujours quelque chose avant elles : ici un castrum romain, une cité antique, avec son forum et ses deux voies principales en croix, *decumanus et cardo*, ailleurs une bourgade, un hameau, un site ancien ; elles ne cessent d'évoluer : des influences diverses, des bouleversements, des démolitions et des constructions y enchevêtrent les styles. La France des villes est à vrai dire fort complexe !

Carcassonne

Une muraille extérieure de 10 mètres d'épaisseur, longue de 1 500 mètres, entourant une muraille intérieure de 14 mètres d'épaisseur, longue de 1 200 mètres, enserrant depuis le XIIIᵉ siècle une ville s'étendant sur 8 hectares : l'enceinte de Carcassonne est la plus vaste et la mieux conservée d'Europe.

Aigues-Mortes

Entre mer et ciel, entre Orient et Occident, un roi de France considère que son devoir est d'entraîner ses troupes au-delà des mers, vers l'Orient. Il mourra de la fièvre en Tunisie et sera canonisé. Saint Louis fit ainsi construire cette citadelle pour abriter ses nombreuses troupes : la forteresse devient cité. C'est encore aujourd'hui une ville-forte exceptionnelle.

Le Moyen Age

La ville médiévale est une émanation directe du château fort : le spectre de la guerre est toujours bien présent.

C'est un espace clos ou plus précisément une mosaïque d'espaces clos. Une fortification imposante l'enserre, une muraille solide, équipée de tout l'arsenal défensif : tours, portes protégées, chemin de ronde, mâchicoulis, créneaux, meurtrières, arbalétrières. Ce rempart abrite un réseau dense de voies étroites, souvent moins de deux mètres de large, obscurcies par les étages construits en saillie ; à Rouen, ces étages avancent sur des charpentes de bois apparentes joliment sculptées. Ces ruelles sont dangereuses : les objets les plus hétéroclites les encombrent, escaliers, portes, contrevents, bancs, étals. Elles sont par nature peu salubres car on y vit les uns sur les autres : il n'y a ni eau courante ni égouts (le premier sera creusé à Paris en 1356), un caniveau central évacue les détritus.

Artisans, orfèvres, pelletiers, cardeurs, marchands, épiciers, bouchers, merciers, petits commerçants, changeurs, répartis dans des quartiers juxtaposés, cohabitent avec des marauds et des ribaudes, des pèlerins et des gens d'église, des mendiants et des traîne-savates. Le commerce est actif, les rues animées et bruyantes. Des marchés s'organisent, marchés aux grains, aux draps, au bétail. Des quartiers neufs sortent de terre, lotissements financés par l'Eglise ou les grandes familles, alignements de rues perpendiculaires, bastides.

Déjà la ville agit comme un aimant.

Peu à peu, cette société urbaine grouillante, spontanée, multiple s'organise : ces citadins veulent échapper à la tutelle des seigneurs, ils réclament et obtiennent des franchises et des chartes leur accordant une certaine autonomie et le droit de lever des impôts : de fait, ils sont les alliés objectifs du roi face à la noblesse féodale.

La ville est le creuset d'une profonde mutation sociale, qui permettra la centralisation du pouvoir et de l'autorité monarchique.

Pages suivantes
Rouen : le Gros-Horloge
Chaque soir, le Gros-Horloge sonne le couvre-feu en souvenir de la guerre de Cent Ans. Tout ici rappelle que la rue date du Moyen Age, les maisons à encorbellement et pans de bois, la place voisine du Vieux-Marché où Jeanne d'Arc fut brûlée vive le 30 mai 1431, le beffroi gothique de 1390. Ce pavillon Renaissance enjambe la rue depuis 1527.

La Rochelle

Bel exemple de l'architecture militaire défensive du Moyen Age, ces tours du XIVᵉ siècle ferment le port de La Rochelle. Chaque soir, une chaîne était tendue entre elles pour interdire le passage des bateaux. Rabelais affirme que cette même chaîne servit à attacher Pantagruel dans son berceau...

La Renaissance

Ce XVIᵉ siècle si enclin à rompre avec l'obscurantisme moyenâgeux, à revenir à la clarté antique, eh bien, en matière d'urbanisme et de patrimoine civil, ce XVIᵉ siècle n'a pratiquement rien apporté ! Il a suivi, embelli, agrandi, amélioré, mais il n'a rien inventé.

Les villes sont devenues sièges de parlements et de juridictions souveraines, elles sont dirigées par un corps d'échevins (magistrats municipaux), sous la conduite d'un maire et sous l'égide du roi. Elles attirent tous ceux que rejette la vie rurale : fils sans héritages, ambitieux (et ambitieuses), aventuriers (et aventurières), qui viennent grossir le menu peuple des rues.

Car la société urbaine s'est hiérarchisée ; au sommet les financiers, les juges, les administrateurs et bureaucrates ne cessent de s'enrichir ; à la base les manœuvres, les laissés-pour-compte de l'urbanisation

sont et restent pauvres ; entre les deux, les marchands et les artisans travaillent dur pour vivre, et pour grandir. Tout ce monde ne cesse d'animer les villes, de les embellir aussi, de les multiplier. Les ateliers, imprimeries, soieries prolifèrent. Des collèges ouvrent pour satisfaire la demande des classes sociales montantes : les bourgeois veulent pour leurs fils une éducation.

Hélas, les guerres de Religion mettront un terme à cet essor ; dans les dernières années du siècle, un sursaut

de violence, d'insécurité, la renaissance de bandes armées, contraindront les villes à se refermer sur elles-mêmes, à restaurer leurs anciennes murailles, l'économie s'effondrera, le chômage renaîtra et, bien entendu, l'imagination stagnera.

Au total, autant l'apport de la Renaissance peut être considéré immense en ce qui concerne l'architecture monumentale, autant il reste mince en ce qui concerne l'urbanisme.

Le classicisme

Il en va tout autrement de la période classique. Imagine-t-on le pouvoir qui a créé Versailles rester sans modifier le cours de la vie urbaine ? Ce serait oublier que désormais le château s'intègre à l'espace urbain. De larges voies y conduisent ; des promenades, des avenues-jardins, des allées plantées prolongent son parc. Pour lancer des artères aussi généreuses, il a fallu s'affranchir des remparts moyenâgeux et renaissants : Paris d'abord, puis Marseille, Arras, Nantes, Dijon, Albi, Nancy les rasent progressivement.

Parlons de remparts encore. Car, tandis qu'on détruit ceux-là un homme, né en 1633, en élève d'autres et, ce faisant, modifie profondément l'esthétique de certaines villes : Sébastien Le Prestre, marquis de Vauban… Vauban, le maréchal Vauban, l'inventeur de la fortification bastionnée, acteur du patrimoine civil ?

Eh oui ! Car ce diable d'homme non seulement fortifie les villes, ce qui déjà conditionne leur dessin – songez à Besançon et ses alignements d'hôtels à arcades le long du Doubs, songez à Lille et au quartier français créé entre "la reine des citadelles" et la ville ancienne, songez à Saint-Martin-en-Ré, à Gravelines –, mais à l'occasion Vauban les bâtit, bien sûr dans un but militaire ; en voici six nouvelles, aux frontières du royaume : Huningue, Sarrelouis, Longwy, Mont-Louis, Mont-Dauphin, Neuf-Brisach.

En voici deux autres à Dunkerque et à Rochefort (l'architecte ici est François Le Vau) autour et à cause de la construction militaire, là un port, ici un arsenal. A Strasbourg, il construit en damier un quartier neuf entre le fort et la ville.

Et ce qui est remarquable est son effort pour lier les lieux de commandement militaire, l'hôtel de ville (commandement civil), la halle (activité économique) et l'église.

Pour la petite histoire, ce génie qui a gagné des batailles, édifié cent places fortes et trente enceintes fortifiées, bâti des villes, parcouru le royaume dans toutes ses directions, intitulera ses mémoires "Mes oisivetés ou Pensées d'un homme qui n'avait pas grand-chose à faire".

Mais plus encore que le roi et son maréchal ce sont les bourgeois qui bâtissent. Saint-Simon, admirable écrivain, mais snob s'il en fut, a habilement qualifié l'époque de Louis XIV de "long règne de vile bourgeoisie". Et c'est vrai que la bourgeoisie connaît un âge d'or sous Louis XIV. La noblesse d'épée est réduite à faire des ronds de jambe à la Cour. Les charges de la noblesse de robe, celles que se partagent les bourgeois, sont devenues héréditaires.

Les marchands, les manufacturiers, comprenez les industriels, les financiers sont encouragés : la gloire du royaume a besoin d'eux. Ces bourgeois et nouveaux nobles investissent la ville. Il n'est pas de meilleur exemple que celui de Paris : ils construisent dans le

audacieux effet de bichromie qui contraste avec le classicisme du plan, la sage symétrie des ailes, la répartition régulière des ouvertures et des colonnes. Ce chef-d'œuvre d'un grand maître du classicisme, curieusement, n'est pas sans évoquer les villes baroques d'Europe centrale.

Lille : la vieille Bourse

Tour à tour flamande, bourguignonne, autrichienne, espagnole, Lille ne fut rattachée à la France qu'en 1668 après sa conquête par Louis XIV. De son passé espagnol, elle n'a conservé qu'un vestige, l'ancienne Bourse, construite en 1652. Après Anvers

Marais (la liste des hôtels de cette époque est longue : Fieubet, des Parlementaires de la Fronde, de Béthune-Sully, Boutillier de Chavigny, Soubise, Guénégaud, Saint-Aignan, des Ambassadeurs de Hollande, de Châlons-Luxembourg, d'Aumont, de Beauvais…) , ils aménagent l'île Saint-Louis sous la direction de l'entrepreneur Marie et avec l'argent des financiers Poulletier

et Le Regrattier (les hôtels de Lauzun et Lambert sont de François Le Vau).

A Paris comme en province, l'architecture de ces hôtels s'inspire du style italien : la pierre domine, alternant parfois avec la brique, le bâtiment s'ouvre en façade sur une cour pavée, séparée de la rue par un mur, et à l'arrière sur un jardin, le toit est haut et pointu.

Surtout, du XVIIᵉ siècle datent les premiers efforts d'urbanisme raisonné : on limite la hauteur des immeubles ou on la fait dépendre de la largeur des rues, on interdit les surplombs, on installe les premiers postes d'éclairage public, on essaie de penser la ville dans son ensemble : on en verra les effets au siècle suivant lorsque Bordeaux ou Nantes prendront en mains leur mutation en grandes cités néo-classiques, lorsque Rennes ou Châteaudun se relèveront de leurs cendres, lorsque l'ex-roi de Pologne Stanislas Leszczynski, devenu souverain des duchés de Bar et de Lorraine en 1733, dotera Nancy d'un quartier neuf. On le verra lorsque le préfet Haussmann entreprendra de remodeler la capitale. Les urbanistes auront alors la pleine maîtrise de l'espace urbain.

et les villes hanséatiques, Lille voulut se doter d'un lieu fermé propice aux échanges commerciaux. L'architecte entoura le marché de vingt-quatre maisons identiques, accolées et ouvertes sur une cour intérieure carrée, bordée de galeries couvertes pour faciliter les transactions.

Pages précédentes

Lyon : Fourvières

Cette statue de Louis XIV située place Bellecour, la place principale de Lyon, et la basilique du XIXᵉ siècle ne représentent que deux époques de l'ancienne capitale des Gaules, mais la force de Lyon est d'avoir toujours été une cité particulièrement prospère.

La Révolution
L'Empire

    Les révolutions sont réputées pour détruire beaucoup plus de chefs-d'œuvre qu'elles n'en produisent. Celle de 1789 n'a pas failli à la règle. Le nombre de châteaux brûlés, rasés pierre après pierre, d'églises saccagées ne se compte plus. L'industrie du luxe est ruinée.

    Les guerres napoléoniennes ne seront pas davantage attentives à la sauvegarde du patrimoine. Mais le Premier Empire créera un style, surtout présent dans le mobilier, il est vrai, mais également dans les objets de la vie quotidienne. On peut ne pas l'aimer. Il est pompeux, ambitieux, prétentieux même. Il copie l'antiquité, l'Egypte et sa grandeur. Il n'empêche, il existe, il exhibe une forte personnalité, il porte le sceau d'une époque.

Le domaine de l'urbanisme n'est pas celui où Napoléon innove le plus. Certes, il échafaude de grands projets, mais il bâtit peu : l'arc de triomphe du Carrousel, la colonne Vendôme, des fontaines, des ponts, la Malmaison, des édifices froids, à colonnades tels la Madeleine, la Bourse, les arcades de la rue Rivoli. C'est peu au regard de ce qu'il réalisera à Rome par exemple. Le paradoxe est que cet homme qui a transformé tout ce qu'il a touché, modernisé l'armée, l'administration, l'économie, la société ait conservé la structure moyen-âgeuse de nos villes. Comme un symbole, l'Arc de Triomphe de l'Etoile dont il avait ordonné la construction en 1806 sera achevé en 1836, quinze ans après sa mort.

De même, le remodelage des villes ne sera entre-pris que dans la seconde moitié du XIXᵉ siècle, notam-ment par le préfet Haussmann.

Bastia

C'était un petit village de pêcheurs. C'est aujourd'hui une ville active, turbulente, fière de ses ruelles pittoresques et de son Vieux Port que domine l'église Saint-Jean-Baptiste et où se pres-sent yachts et voiliers.

Pages précédentes
Bordeaux

Bordeaux a attendu le XVIIIe siècle pour s'embellir d'admirables façades classiques, et 1821 pour lancer un premier pont sur la Garonne.

La ville haussmanienne

Un génie, Haussmann ? Un fou, peut-être ? Un visionnaire sûrement. Il a démoli. Il a saccagé Paris. Mais le Paris qu'il a fait disparaître était vétuste, insalubre, inadapté à la civilisation de l'industrie naissante. Il a rasé plus qu'il n'était besoin, n'en doutons pas. Mais il a rebâti. Il a pour la première fois mis en œuvre une authentique politique d'urbanisme, raisonnée, privilégiant la circulation, les grands espaces, l'aération,

le cadre de vie, l'hygiène. La première décision d'Haussmann est de créer un cadre administratif homogène : il intègre onze communes de banlieue à la capitale qui passe de douze à vingt arrondissements. Puis il répond au souci stratégique de l'empereur Napoléon III : empêcher que les rues ne deviennent un terrain d'agitation et d'émeutes ; il dessine de larges avenues, difficiles à paralyser par une barricade, implante des casernes. Surtout, il a compris que dans la ville moderne il faut pouvoir circuler. Ces larges avenues qu'il trace se

**Paris :
la place de l'Opéra**

Typique création de Haussmann, destinée à mettre en valeur l'opéra de Garnier, inauguré en 1875, la place a été jugée, à l'époque, démesurément grande.

Toulouse

On l'a surnommée "la ville rose" à cause de ses maisons de briques aux toits de tuile. Et il est bien vrai que ce rose lui donne une personnalité originale et une gaieté rare.

croisent à angle droit, permettant les échanges nord-sud/est-ouest ; elles sont reliées par des transversales ; elles convergent vers des places circulaires majestueuses.

La naissance et le développement des chemins de fer avaient conduit la monarchie de Juillet à lancer la construction de gares à Paris et dans les grandes villes de province : Rouen, Orléans, Tours, Bordeaux, Toulouse. Haussmann relie ces gares au centre des cités : nouvelles

percées. Pour inciter l'investissement, il autorise les constructions sur huit niveaux, dont deux sous les toits.

Le plus révolutionnaire peut-être chez Haussmann est sa volonté de rompre avec l'insalubrité traditionnelle des villes et d'inaugurer des lieux à vivre. Ses innovations sont prodigieuses : il perce un réseau d'égouts, il crée un service de distribution d'eau, il plante des jardins et des parcs, il recouvre les rues

d'asphalte, il les borde de trottoirs pour les piétons, il réorganise les cimetières. Il rompt avec huit siècles d'anarchie et de laisser-aller. Au moment même où Viollet-le-Duc redécouvre l'architecture du Moyen Age et la réhabilite non sans excès d'ailleurs, Haussmann éradique la ville médiévale au profit d'une cité moderne, lumineuse, agréable à vivre. On n'inventera rien d'autre, en matière d'urbanisme, jusqu'à la Seconde Guerre mondiale.

Il faut dire un mot encore de l'architecture en ce XIXᵉ siècle. Rarement les architectes ont autant copié, rarement ils ont autant innové.

Copié ? Ils imitent l'antique ; l'archéologie est en plein essor, la Grèce est à la mode ; les publications sur les monuments grecs et romains foisonnent ; dans le sillage des constructions napoléoniennes, on multiplie les colonnes doriques ou corinthiennes ; plus encore : on

Au XVIIIᵉ siècle, l'archevêque de Toulouse, Loménie de Brienne, fit réaliser sur les quais de la Garonne ces façades dans un style strictement classique, symétriques, alignant leurs hautes fenêtres et les ferronneries de leurs balcons.

Marseille : le port et, à l'horizon, Notre-Dame-de-la-Garde

Depuis 1864, la "Bonne Mère", Notre-Dame-de-la-Garde, veille, du haut de son rocher, sur Marseille et sur les Marseillais. La ville est très ancienne : elle a été fondée au VIᵉ siècle av. J.-C. Son développement a toujours été lié

prend pour modèle les thermes romains pour édifier la salle des Pas Perdus du palais de Justice de Lyon, derrière une façade ornée, bien évidemment, de vingt-quatre colonnes !

Quand ce n'est pas l'antiquité, c'est le Moyen Age qu'ils imitent. Le gothique est à la mode. Viollet-le-Duc restaure ou reconstruit Carcassonne, Vézelay, Pierrefonds. Paul Abadie (l'architecte qui dessinera les plans du Sacré-Cœur de Montmartre) reconstitue en style néo-gothique la tour de la cathédrale d'Angoulême,

en néo-gothique toujours P.B. Lefranc habille la chapelle royale de Dreux. Mais ils innovent aussi et, notamment, en recourant aux matériaux nouveaux de l'ère industrielle.

Le fer triomphe à l'exposition universelle de 1889, avec la Tour Eiffel, mais aussi l'audacieuse Galerie des Machines, lançant jusqu'à 43 mètres de hauteur des poutres de 115 mètres de portée. Du jamais vu. Hélas, la Galerie sera démolie vingt et un ans plus tard ! Mais le fer est désormais présent partout, jusque dans les struc-

tures du très éclectique Opéra de Paris (éclectique sur le plan du style architectural s'entend)... Le béton, quant à lui, est plus tardif : inventé en 1850, il n'entre pas dans la construction des immeubles avant la fin du siècle, mais quelle revanche !

Adopté par les frères Perret, puis par Le Corbusier, il connaîtra au XX\ siècle des perfectionnements inouïs (armature, précontrainte, etc.) qui en feront le matériau-roi et permettront les réalisations architecturales les plus remarquables et les plus audacieuses.

La ville moderne

Deux phénomènes ont marqué la ville au XX\ siècle : la prolifération des banlieues et la banalisation de l'automobile.

Pour tenter de maîtriser la première, les gouvernements successifs ont tenté une politique d'urbanisme dite des cités-jardins qui consistait à lotir de vastes terrains afin d'en assurer l'aménagement, mais, dès la fin de la Seconde Guerre mondiale, pour faire face à la pénurie de

à la Méditerranée. C'est une ville riche en architecture (Maison diamantée, XVIIᵉ siècle, Cité radieuse de Le Corbusier, XXᵉ), riche en urbanisme (la Canebière), riche en archéologie (fouilles du Vieux port), riche de son atmosphère populaire, de ses exagérations, de sa verve pagnolesque : rien à Marseille ne se mesure, ne se dit, ni ne se fait aux mêmes dimensions que dans le reste de la France.

Biarritz

Biarritz offre un excellent exemple d'urbanisme de villégiature. C'était un petit port de pêche, d'où les baleiniers basques appareillaient pour Terre-Neuve. Princesse madrilène, Eugénie venait y séjourner. Impératrice des Français, elle en fit un rendez-vous de l'aristocratie européenne. La deuxième moitié du XXᵉ siècle vit

logements, priorité dut être donnée à la construction : les périphéries de toutes les grandes villes se hérissent alors de vastes bâtiments de béton, de cités sans âme, vite devenues foyers de déséquilibres sociaux et de perturbations. Des tentatives parfois heureuses d'implantation de villes nouvelles, de création de transports en commun ou d'humanisation des cadres de vie n'ont pas suffi pour enrayer le processus de dégradation des banlieues.

Quant à l'automobile, c'est le cœur des villes qu'elle abîme. Une première erreur des pouvoirs publics fut certainement d'en autoriser le stationnement sur la voie publique. La seconde de tenter d'adapter le réseau des rues et des quartiers, qui n'ont jamais été conçus pour cela, à la circulation des voitures. Envahies de véhicules à moteur polluants, les villes modernes ont du mal à offrir à leurs habitants les conditions de vie dont rêvait un Haussmann. Les quartiers neufs (la Défense), s'ils

marquent un réel effort d'imagination, réalisent rarement l'équilibre entre les exigences intimistes de l'humain et celles, moins chaleureuses, de la civilisation mécanique.

Reste que les villes modernes se sont enrichies de monuments qui font honneur aux architectes contemporains et resteront parmi les joyaux que le XXe siècle ajoutera au patrimoine national français. Pensez à la Cité radieuse de Le Corbusier à Marseille, belle illustration de l'esthétique "béton brut", pensez aux bâtiments "high tech" que sont le Musée Pompidou à Paris ou la Médiathèque de Nîmes, pensez à l'architecture "répétitive" des Arcades du Lac à Saint-Quentin-en-Yvelines, pensez à l'architecture "tectonique" des gares TGV de Roissy ou de Lyon-Satolas : ce ne sont que des exemples épars.

Car si les urbanistes restent en échec pour concilier les contradictions de la ville du XXe siècle, les architectes réussissent à marquer l'époque de leur invention.

déferler à Biarritz les vacanciers : les beaux immeubles Second Empire furent cernés de bâtiments en béton. Aujourd'hui, la ville vit sur deux rythmes : l'hiver une population traditionnelle habituée à ses magasins luxueux et ses promenades au bord de mer ; l'été, des milliers de vacanciers, plus ou moins hétéroclites, dont des surfeurs venus du monde entier affronter les rouleaux.

LA NATURE ET SES TRÉSORS

Les sites maritimes

Les deux tiers des 5 500 kilomètres de frontières naturelles françaises sont maritimes. De la mer du Nord, plus grise, à la Méditerranée plus bleue, de la Manche encombrée de bateaux à l'immense Atlantique, ces côtes sont une alternance de plages, de falaises et de rochers. Au nord, les plages de sable fin du Touquet, de Deauville, celle-ci équipée de sa célèbre promenade en planches, ou de Cabourg attirent le tourisme parisien le plus huppé. Sur la façade océane, un long ruban de sable jaune, surplombé de cordons de dunes, s'élargit et se rétrécit deux fois chaque jour au rythme de la marée. La côte méditerranéenne égrène des plages plus intimes, où vient s'échouer un clapotis régulier sans cesse recommencé. Elles sont parfois nichées dans des criques : ce sont alors les plus belles ; d'autres s'étirent nonchalamment comme avides de soleil.

Les falaises, c'est évidemment à Etretat, en Normandie qu'il faut les voir : hautes de quatre-vingts mètres, plongeant sur la mer en vertigineux à-pics, percées d'immenses arches naturelles que viennent battre les marées.

La côte bretonne est une succession ininterrompue de sites plus sauvages et plus beaux les uns que les autres. Tous les éléments semblent concourir à la recherche du grandiose, de l'impressionnant. Là ce sont des rochers escarpés, plongeant dans les flots, une côte découpée de rias et d'estuaires, de baies, de promontoires et de criques, des vagues furieuses se brisent en lançant des gerbes d'écume et des paquets de mer. On pense à la pointe du Raz, à la presqu'île de Crozon. Et voici le contraste : le golfe du Morbihan, bordé à l'est par la presqu'île de Quiberon, au sud par celle de Rhuys, parsemé de petites îles plates, surgit comme un miracle de calme, de douceur et de beauté.

Et que dire des îles ? Les bretonnes, Bréhat, Batz, Ouessant, Sein, Groix, Belle-Ile ont gardé leur authenticité, leurs maisons de paysans et leurs pêcheurs. Plus plates, Ré ou Noirmoutier offrent moins de grandeur et plus de tranquillité. A l'île d'Aix cohabitent la sauvagerie océane et la torpeur sableuse. En Méditerranée, la Corse ajoute aux tourments d'une côte escarpée les mystères de ses montagnes tortueuses, de ses châtaigneraies sombres, de ses maquis odorants.

Les sites de forêt

Plus enclins souvent à se plaindre qu'à se vanter, nos compatriotes négligent un fait pourtant bien rassurant : ils possèdent un ensemble forestier des plus vastes et des plus dynamiques d'Europe ; couvrant 14,5 millions d'hectares, soit le quart de la surface du pays, le patrimoine forestier de la France est, en effet, le troisième plus grand après ceux de la Finlande et de la Suède. Mieux : ce patrimoine s'agrandit de quelque 30 000 hectares par an depuis cinquante ans, malgré les incendies, malgré les tempêtes et malgré les épidémies.

Une caractéristique de la forêt française est l'extrême diversité des essences qui la peuplent. Les pins règnent en maîtres dans les Landes (le plus grand massif forestier français, 900 000 hectares), ainsi qu'à Valdoniello en Corse, le sapin à la Joux et à Gérardmer dans les Vosges, le chêne à Tronçais dans le Massif central et, surtout, à Compiègne, le hêtre à Iraty dans les Pyrénées, à Lyons près de Rouen et à Verzy, près de Reims ; cette dernière forêt présente, d'ailleurs, la particularité d'être presque exclusivement plantée d'une espèce très rare et très spectaculaire de hêtre tordu, dit "tortillard" ou "fau". Partout ailleurs, les essences sont mélangées : Fontainebleau, où l'on trouve des hêtres, des pins sylvestres, des alisiers, des chênes, des bouleaux, et Rambouillet sont les prototypes de ces forêts mosaïques.

Les sites de montagne

La carte du relief de la France est relativement simple à dessiner. Au sud ; une chaîne rectiligne est-ouest : les Pyrénées. A l'est, deux chaînes arquées : les Alpes et le Jura. Au centre et à l'ouest des massifs plus ou moins étendus, plus ou moins hauts : les Ardennes, les Vosges, le Massif central, le Massif armoricain, les Maures et l'Estérel.

Les Alpes et les Pyrénées offrent d'admirables paysages, tourmentés, grandioses, avec des sommets élevés (Mont-Blanc : 4 807 mètres), des vallées profondes, d'énormes dénivellations. Des chênes, des charmes et des châtaigniers croissent jusqu'à 1 500 mètres d'altitude ; des hêtres, des sapins, des épicéas jusqu'à 2 200 mètres ; au-delà, plus aucun arbre, une herbe rase parfois ; des pics de rochers se dressent fièrement, ceinturés de neige dès les premiers froids.

Pages précédentes
Cerisiers en fleurs
La France est un immense verger qui ne séduit pas seulement par sa production mais aussi par les paysages magnifiques que constituent les cultures fruitières. L'alignement des arbres, voulu par l'homme, contraste avec le jaillissement des branches et l'explosion de la floraison.

La falaise d'Etretat
Un à-pic de 80 mètres, une arche creusée dans la falaise. Un site de toute beauté. On voit ici la Porte d'Aval, à Etretat ; elle a été peinte de multiples fois, notamment par Courbet qui a joliment intitulé son tableau "La roche percée".

Le Mont-Blanc

Vision magique. Au premier plan les cimes d'une forêt de sapins et d'épicéas, plus loin les combes et

Il en va bien autrement, on s'en doute, des massifs du centre et de l'ouest. Moins élevés, ils présentent des pentes douces, des sommets arrondis (tels les Ballons dans les Vosges), un relief apaisé, des plateaux ondulés alternant avec des vallées encaissées. Moins agressifs que les paysages de haute montagne, ils n'en sont pas moins rudes, et parfois dérangeants : pensez aux puys du Massif central.

Les sites de campagne

Il faut s'appeler Charles Péguy pour admirer sans réserve les champs de blé qui, à perte de vue, recouvrent le plat pays de la Beauce. De même, les exploitations de betterave du Nord ou de maïs des Landes ne figurent pas parmi les plus beaux paysages. Mais, le morcellement de l'agriculture française, sa diversité sont à l'origine d'une qualité des sites exceptionnelle. Que l'on pense aux

les ravins, en dernier plan, les rochers, les neiges et les glaciers du majestueux Mont-Blanc, point culminant de la chaîne alpine (4 807 mètres).

La chaîne des Puys

Paysage d'une austère grandeur: la chaîne des Puys est constituée de volcans éteints datant du tertiaire et du quaternaire. L'érosion l'attaque, le climat est dur et froid, un vent fort balaye la végétation peu abondante: landes sur les plateaux, herbes et bois sur les pentes. Mais l'on ne cesse d'admirer ces montagnes surgies du cœur de la terre pour découper dans l'espace leurs silhouettes alignées en plans successifs.

reposantes perspectives barrées de lignes d'arbres ou de massifs forestiers du Bassin parisien, aux grasses collines herbeuses du Nivernais, aux prolifiques jardins le long du Val de Loire, aux étangs brumeux de Sologne, aux pommiers fleuris du bocage normand, aux haies encaissées du bocage breton, aux élevages dans le marais poitevin, aux fermes de polyculture en Dordogne, aux vignobles d'Alsace, aux champs de lavande de Provence…

Oui, la campagne française est belle, précisément parce qu'elle présente mille visages. Parce qu'elle garde une dimension humaine. Parce que, presque tous fils ou descendants de petits paysans, les Français sont attachés

à la terre et à la culture à petite échelle, comme la pratiquaient leurs ancêtres, et comme elle préserve les paysages et l'environnement.

Les fleuves et les rivières

Le Rhône dont l'impétuosité a été maîtrisée par de grands travaux, la Seine industrieuse, la Loire inapte à la navigation, la Garonne repliée sur son Aquitaine présentent quantité de sites admirables sur les centaines de kilomètres de leur parcours.

Il n'empêche, ce sont surtout les rivières de France qui fournissent les plus intéressants paysages:

rivières tranquilles des plaines, dessinant leurs courbes lentes, sillonnant entre deux rangs de collines : c'est l'Eure ou l'Ill ou la Dordogne, et tous ces affluents des grands fleuves, et tous les affluents de ces affluents ; il y a aussi les rivières encaissées enroulant leurs méandres dans des gorges sauvages : le Tarn, le Loup, le Verdon ; il y a les rivières capricieuses des montagnes, torrents ou gaves (dans les Pyrénées). Partout où coule l'eau, elle apporte la vie : le paysage s'anime, la végétation croît, les insectes bourdonnent, le soleil et le décor se reflètent sur la surface liquide. Les sites des fleuves et des rivières sont toujours parmi les plus beaux.

Au fait, qu'est-ce qui permet de dire qu'un site est beau et qu'un autre l'est moins ?

Rien.

Tout est affaire de goût, de sens de la beauté, mais, comme chacun sait, la beauté est un concept indéfinissable. Et mouvant. Tel sera sensible à un paysage plutôt sauvage, tel à un site tout de douceur, tel admirera un paysage planté, tel une nature anarchique, tel voudra des pierres, tel des ciels, tel préférera des cimes et tel des cours d'eau.

Or, précisément, la particularité de la France est que chacun peut y trouver les paysages qu'il aime.

Pages suivantes
La côte d'Azur

La luxuriance de la végétation méditerranéenne contraste très fortement avec ces monts volcaniques. La diversité des paysages français reste un sujet d'étonnement et d'admiration pour les habitants de très vastes étendues homogènes où la superficie de la France ne couvrirait qu'un de leur département.

1.Alsaciens. 2.Lorrains.   3.

voisiens. 4 . Basques.

BIBLIOGRAPHIE

BATAILLE Georges, La peinture préhistorique, Skira, 1955.

BEDNORZ A. TOMAN R., L'art roman, Könemann, 1999.

BEDNORZ A. TOMAN R., Les symboles de l'art roman, Editions du Rocher, 1999.

BRAUDEL Fernand, L'identité de la France, Arthaud - Flammarion, 1986.

CASTIEAU Thérèse, L'art roman, Flammarion, 1998.

CASTELOT André, DECAUX Alain, Dictionnaire de l'Histoire de France, Perrin, 1981.

DECKER Michel de, Les Grandes Heures de la Normandie, Perrin, 1988.

DUBY Georges, L'Europe au Moyen Age, Flammarion, 1981.

DUBY Georges, Fondements d'un nouvel humanisme, Skira, 1966.

DURLIAT Marcel, L'art roman, Citadelles et Mazenod, 1989.

ERLANDE-BRANDENBURG Alain, L'art gothique, Citadelles et Mazenod, 1989.

FABRE Gabrielle/VARAGNAC André, L'art gaulois, Zodiaque, 1964.

GAXOTTE Pierre, Histoire des Français, Fayard, 1951.

KIRCHHOFF Elisabeth, Histoire de France, Molière, 1994.

KIRCHHOFF Elisabeth, Rois et Reines de France, Molière, 1997.

LE ROY LADURIE Emmanuel, Histoire des paysans français, Seuil, 2002.

LORBLANCHET Michel, La naissance de l'art - Genèse de l'art préhistorique, Errance, 1999.

MELCHIOR-BONNET CHRISTIAN (sous la direction de), Le grand livre de l'Histoire de France, Tallandier, 1980.

MINNE SEVE/KERGALL, La France romane et gothique, Saint-André des arts editions, 2002.

MOLLAT Michel, Genèse médiévale de la France moderne, Arthaud, 1970.

MONNIER Jean-Laurent, Les hommes de la préhistoire, Ouest-France, 2002.

MUMFORD Lewis, La cité à travers l'Histoire, Seuil, 1964.

PRACHE Anne, Initiation à l'art roman, architecture et sculpture, Zodiaque, 2002.

Préhistoire et antiquité, collectif, Gründ, 2000.

STAROBINSKI JEAN, L'invention de la liberté, Skira, 1964.

TAINE Hippolyte, Les origines de la France contemporaine, 1876.

TRILLOUX PAUL, Le guide de l'art roman, Dervy, 1999.

TZONIS A/LEFAIVRE L. BILODEAU, Le classicisme en architecture, Dunod, 1993.

TULARD Jean, Le pouvoir de la rue, in Enquête sur l'histoire, ed. Société EC2M.

ZERNER Henri, L'art de la Renaissance en France, l'invention du classicisme, Flammarion, 2002.

11 12 13 14 15 16 17 18 19 20 21
9 8 7 6 5 4 3 2 1 0

ANGLETERRE
Londres
Middelbourg
Bruges Gand
P. DE LILLE
CALAIS NORD
Arras
SOMME
Amiens
Laon
SEINE INT OISE
Rouen
Beauvais
AISNE MA

LA MANCHE

I. Greneseÿ
I. Gerseÿ
LA MANCHE

Caen EURE
CALVADOS Evreux
ORNE EURE OISE
Alençon Chartres
ET L.
Paris
Vers
SEINE ET O.
S. ET Chat
Melun
MARN. AUN
Troy

L. D'Ouessant
FINIST.
Quimper
C. DU NORD
S. Brieux ILLE
ET MAYENN
Rennes
VIL.
Laval
SARTHE
LeMans
LOIR ET C.
Orléans
LOIRET
YONNE
Auxerre

MORBIH.
Vannes
Belle Isle
Nantes
INF. ET L.
LOIRE MAINE
Angers
ET L.
INDR.
Tours
Blois
CHER
NIÈVRE
Bourge
Nevers

VENDÉE
Bourbon
D. SÈVRES
Niort
Poitiers
VIENNE
INDRE
Ch.roux
Moulins
ALLIER

I. de Ré
La Rochelle
CHAR. IN.
Guéret
CREUSE
Clermont
PUY DE D.
LOIRE

L. D'Oléron
Angoulême
VIENNE
Limoges
CORRÈZE
CANTAL
Le Puy
H. LOIRE
Montbri

OCÉAN

CHARENT
Périgueux
Tulle
Aurillac
AVEIRON

GIRONDE DORDOGN.
Bordeaux
LOT et
LOT
GARONN Cahors
LOZÈRE ARDE
Mende
Priv

5 10 15 20 25   50 Lieues
Agen
TARN
Rhodez
GARD
Nismes

LANDES
Mt de Marsan
GERS
ET G.
Montauban
Alby
Toulouse
TARN
HERAULT
Montpellier

Pau
Auch
Carcassonne
AUDE
Ma

Monts Pirennées
Tarbes
PIRENNE H.
Foix
ARRIÉGE
PIRENNE O.
Perpignan
MER

ESPAGNE

LA FRANCE ET PARTIE DES ÉTATS VOISINS